# 目录

# 在公园里

1.写一写：

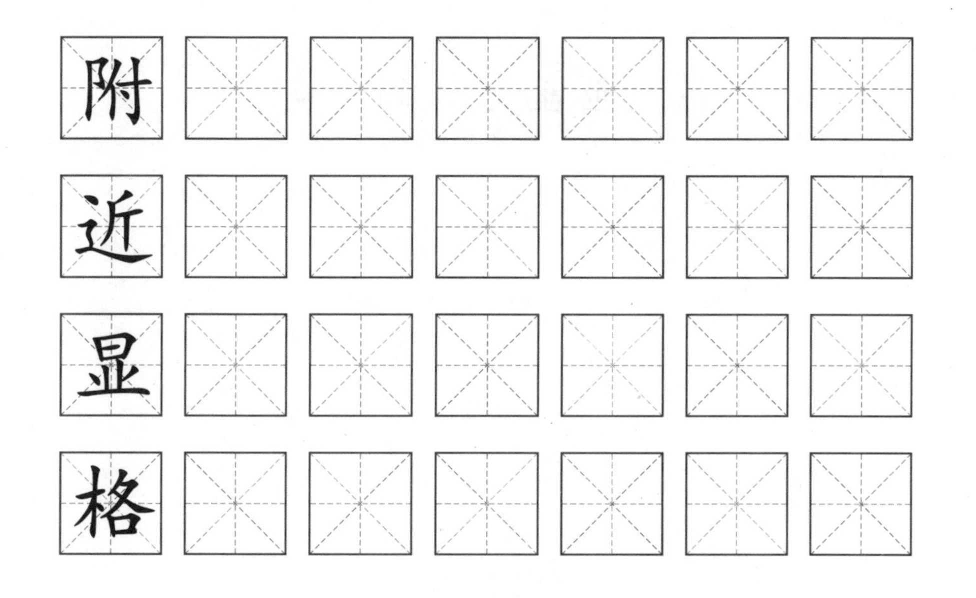


2.比一比，再组词语(zǔ)：

付(　　　　)　近(　　　　)
附(　　　　)　远(　　　　)

业(　　　　)　各(　　　　)
显(　　　　)　格(　　　　)

3.照例子写句子：(lì jù)

例(lì)：公园　我　今天　去

我今天去公园。

(1)画儿　我　画　喜欢

______

(2)常常　附近　我　公园　的　去　写生

______

(3)是　地方　这儿　个　画画儿　的　好

______

4.造句(jù)：

(1)附近______

(2)显得______

(3)格外______

5.读课文，填(tián)空：

（1）星期天妈妈常常带我去______的公园写生。

（2）公园里鲜花满园，________的树，________的湖，________的桥，在蓝天下显得格外______、美丽。

6.朗(lǎng)读课文。

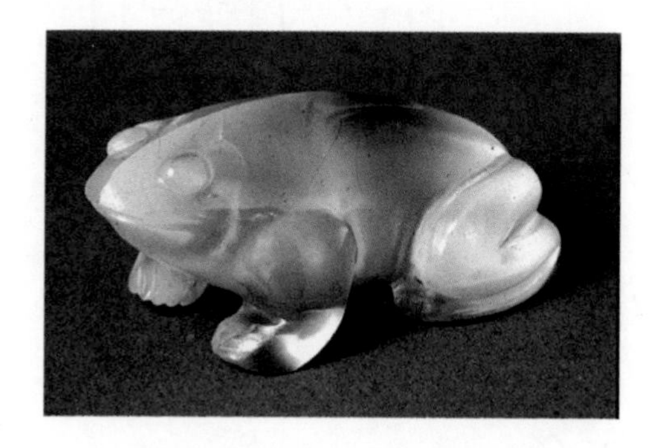

1 .写一写：

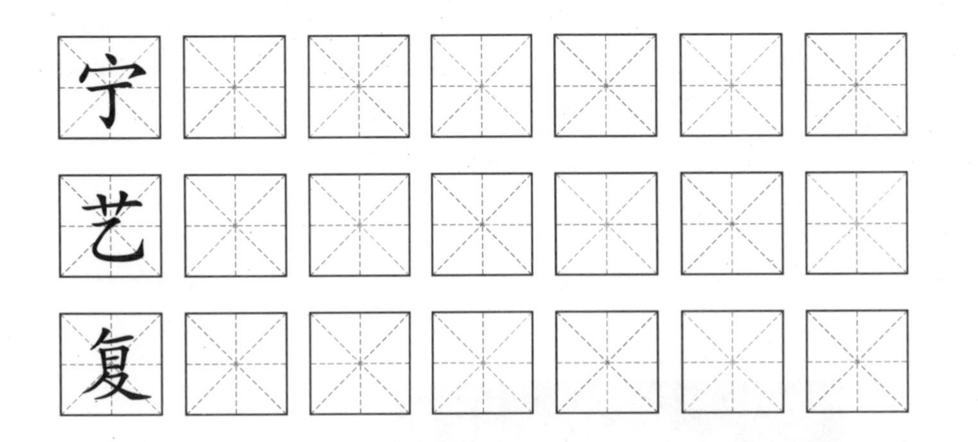


2 .给下列(liè)字加上部首，再组(zǔ)词语：

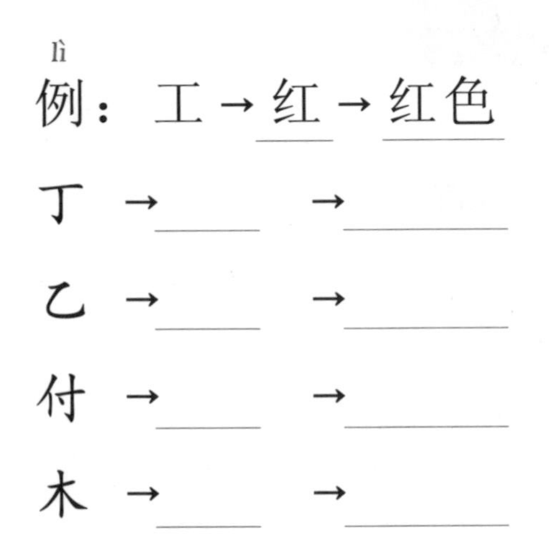

例(lì)：工→红→红色

丁 →______ →________

乙 →______ →________

付 →______ →________

木 →______ →________

3．读拼(pīn)音，写词语：

níngjìng　　gōngyuán　　fùjìn

______　　______　　______

yìshù　　xiǎnde　　géwài

______　　______　　______

4．照例(lì)子填(tián)空：

| 我 | 喜欢 | 画画儿。 |
|---|---|---|
|  | 想 |  |
|  |  | 买鞋。 |
| 老师 |  |  |
|  | 注意 |  |

5．画出下列(liè)句(jù)中的错别字，把正确(què)的字写在（　）里：

（1）绿色的树，白色的侨，显得各外宁静。

（　）（　）

（2）这些雕(diāo)象都是世界艺术名作的夏制品。

（　）（　）

（3）星期天妈妈常带我去附进的公园写生。（　）

6．阅读短文，判断句子，对的打“√”，错的打“×”：

下雪了。小猴走出家门，一看到眼前的雪景就惊喜地叫起来：“啊，遍地都是白雪，多美呀！”他在门口走了几步，雪地上就留下一行脚印。他高兴极了，立刻找来一根树枝，想在雪地上画画儿。他要画最美的画儿。“画什么呢？”小猴想。远处的树林里，一只小鸟正在唱歌。小猴立刻画了一只唱歌的小鸟，还在旁边写了一行字：“你是我的好朋友！”小猴又看见附近的一只小羊，于是，他又在雪地上画了一只小羊。接着，他又画了小猪、小鸡、小狗、小猫……太阳出来了，天上一片红云。小猴在雪地上画的画儿显得格外美丽。

(1)远处的树林里，一只小羊在唱歌。(　)

(2)小猴(hóu)找来一根树枝(zhī)，在雪地上画起画儿来。(　)

(3)小猴(hóu)先画了一只小羊，又画了一只小鸟。(　)

(4)太阳出来了，天上看不见红云，小猴(hóu)的画儿很美丽。(　)

1.写一写：

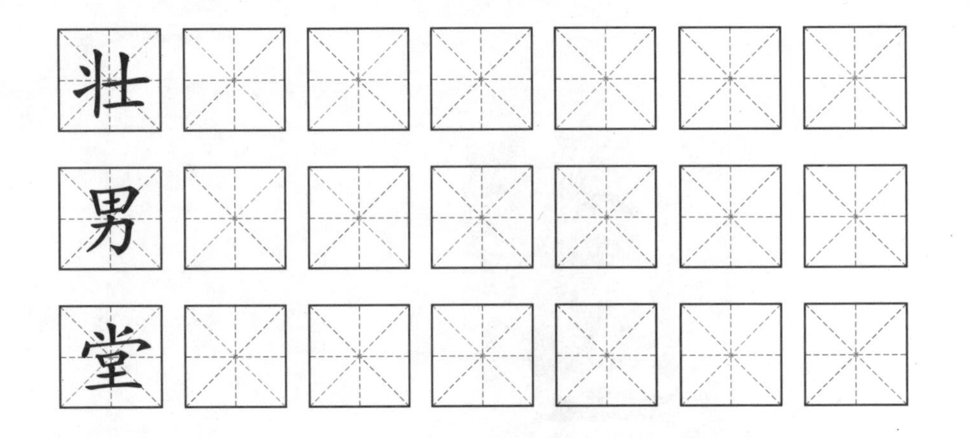


2.组词语（zǔ）：

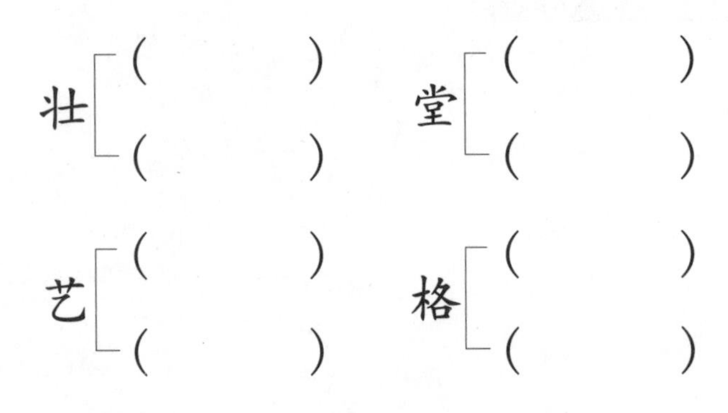

3.选字填空：(xuǎn tián)

木　装　术　壮　复

(1)这些雕(diāo)像都是世界艺____名作的____制品。

(2)亮亮把书____在书包里了。

(3)爸爸的身体很强____。

(4)公园里到处是树____和鲜花，美极了。

4.照例子填空：(lì tián)

<table>
<tr><td>他</td><td rowspan="5">在</td><td>想</td><td rowspan="5">什么　呢？</td></tr>
<tr><td></td><td>吃</td></tr>
<tr><td>方方</td><td></td></tr>
<tr><td></td><td>说</td></tr>
<tr><td></td><td></td></tr>
</table>

5.照例子写句子：(lì jù)

例(lì)：呢　什么　在　他　想

他在想什么呢？

(1)男子汉　是　他　一个　的　身强体壮

______________________________

(2)艺术　复制品　是　这些　都　的　名作

______________________________

6.读句子（jù），用加点的词语造句（jù）：

(1)远处的钟声随风传来，公园里显得更加宁静。

______________________________

(2)他正在低头沉思。

______________________________

1 .写一写：

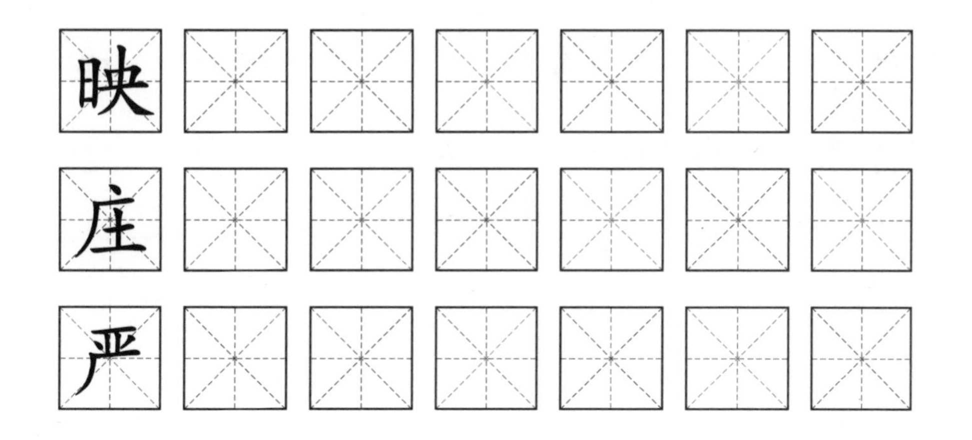


2 .读拼（pīn）音，写汉字：

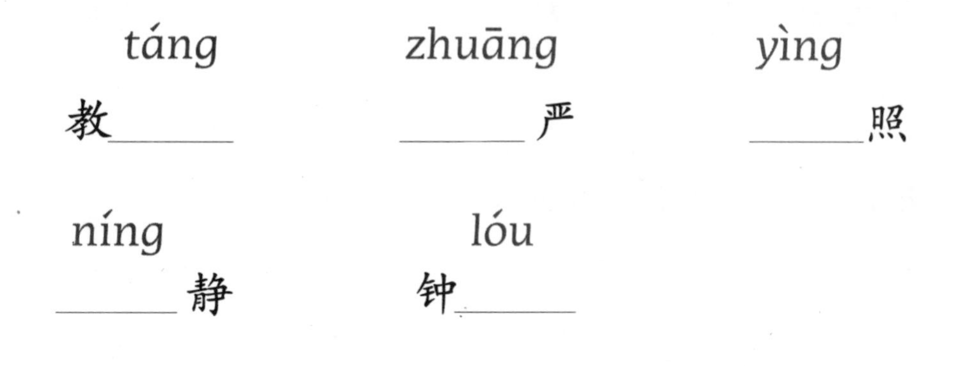

3.连一连，写一写：

阝　　田　　艹　　日

央　　力　　付　　乙

＿＿　男　＿＿　＿＿

4.读课文，填(tián)空：

当我画完最后一＿＿，抬头望去，远处大＿＿＿的钟楼在晚霞(xiá)的＿＿＿＿下，格外＿＿＿＿。这时，远处的钟声随风传来，公园里＿＿得更加＿＿静，更加美丽。

5.改病句(jù)：

(1)我来到这儿每次都会这样想。

＿＿＿＿＿＿＿＿＿＿＿＿＿＿＿＿＿＿＿＿

(2)公园里更加显得美丽、宁静。

＿＿＿＿＿＿＿＿＿＿＿＿＿＿＿＿＿＿＿＿

(3)妈妈带我去附近的公园常常写生。

＿＿＿＿＿＿＿＿＿＿＿＿＿＿＿＿＿＿＿＿

6.阅读短文，判断句子，对的打“√”，错的打“×”：

罗丹是法国杰出的雕塑家和艺术大师。他从小喜欢画画儿。后来罗丹进了一所工艺美术学校学习油画，想成为一位油画大师。不久，因为买不起颜料和画布，他只好改学雕塑。经过刻苦努力，他终于创作出了许多雕塑名作。《思想者》就是他最杰出的代表作之一。

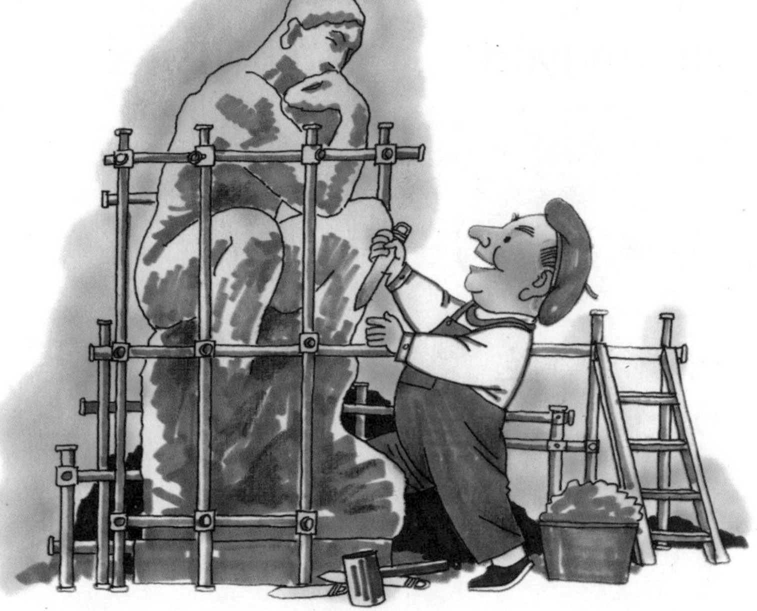

(1)罗丹是英国杰出的雕塑家和艺术大师。(　)

(2)罗丹爱好雕塑，所以他进了一所工艺美术学校学习雕塑。(　)

(3)《思想者》就是罗丹最杰出的代表作之一。(　)

1.读拼(pīn)音，写词语：

xiǎnde ________　　yìngzhào ________　　jiàotáng ________

zhuāngyán ________　　chénsī ________

2.连一连，写一写：

附　　显　　艺　　更　　格　　青

草　　近　　得　　加　　术　　外

____　____　____　更加　____　____

3.去掉下列(liè)字的部首，再组(zǔ)词语：

例(lì)：红→工→工作

附→____→______　　显→____→______　　格→____→______

男→____→______　　庄→____→______　　钟→____→______

4.比一比，再组词语：

堂(　　　)　　庄(　　　)　　店(　　　)
常(　　　)　　壮(　　　)　　装(　　　)

5.读课文，回答问题：

(1)课文中的“公园”里有什么？

______________________________

(2)课文中“公园”里的雕像都是原作吗？

______________________________

6.把课文读给爸爸妈妈听，让他们来评评分：

| 朗读情况 | 家长签名 |
| --- | --- |
| 很好□　较好□　一般□ | |

1 .写一写：

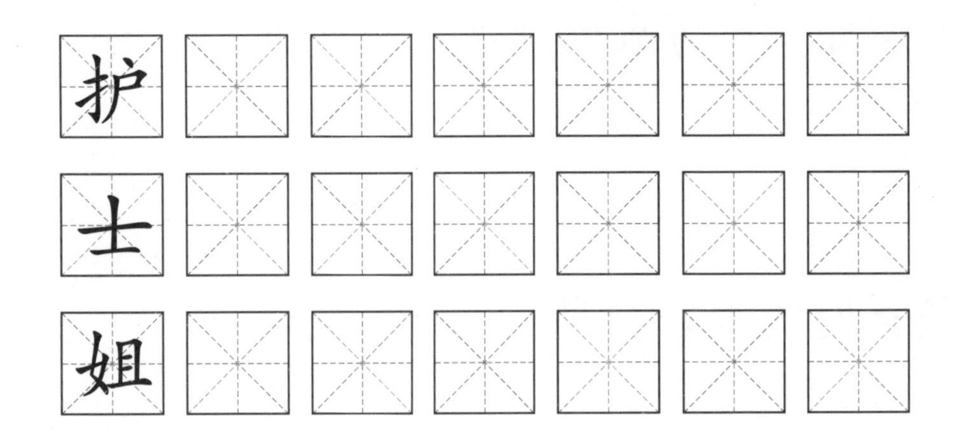


2 .组词语（zǔ）：

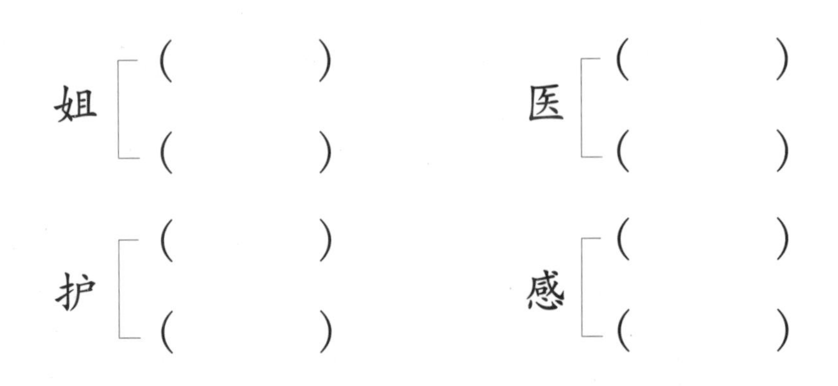

3.连一连，写一写：

看　　量　　头　　张　　开

药方　　嘴　　疼　　体温　　病

______ ______ ______ ______ 看病

4.用下列(liè)句(jù)中加点的词语造句(jù)：

(1)你身体不舒服，今天就别上学了。

________________________________

(2)我告诉医生，早上起床以后，我就有一点儿头疼。

________________________________

(3)护士小姐把我带到医生那儿。

5.找出不同类(lèi)的词，写在（　）里：

例(lì)：小鸡　小猫　小猪　小树　（小树）

(1)医院　医生　护士　病人　（　　）

(2)头　脚　手　衣服　（　　）

(3)水果　河水　湖水　海水　（　　）

6.读一读，写一写：

感冒________ 打针________ 吃药________

医生________ 护士________ 医院________

1．写一写：

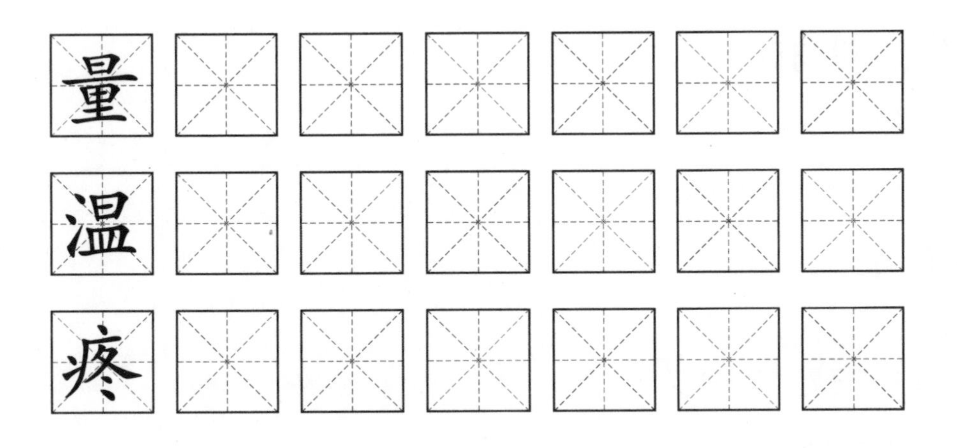


2．读拼(pīn)音，写词语：

yīyuàn　　gǎnmào　　hùshi

________　________　________

xiǎojiě　　tǐwēn

________　________

3．给下列(liè)字加上部首，再组(zǔ)词语：

例(lì)：古→故→故事

户→____→______　　冬→____→______

木→____→______　　咸→____→______

4.读课文，填(tián)空：

（1）到了医院，______小姐给我____了体温，把我带到医生那儿。

（2）我告诉医生，早上起床以后，我就有一点儿_____，全身发冷，没有_____。

5.照例(lì)子写句(jù)子：

例(lì)：了　感冒　我　今天

我今天感冒了。

（1）我们班　一位　来了　今天　新同学

________________________________________

（2）别　这几天　你　了　上学　就

________________________________________

（3）希望　一起　同学们　我　和　玩儿

________________________________________

6.朗(lǎng)读课文。

1.写一写：

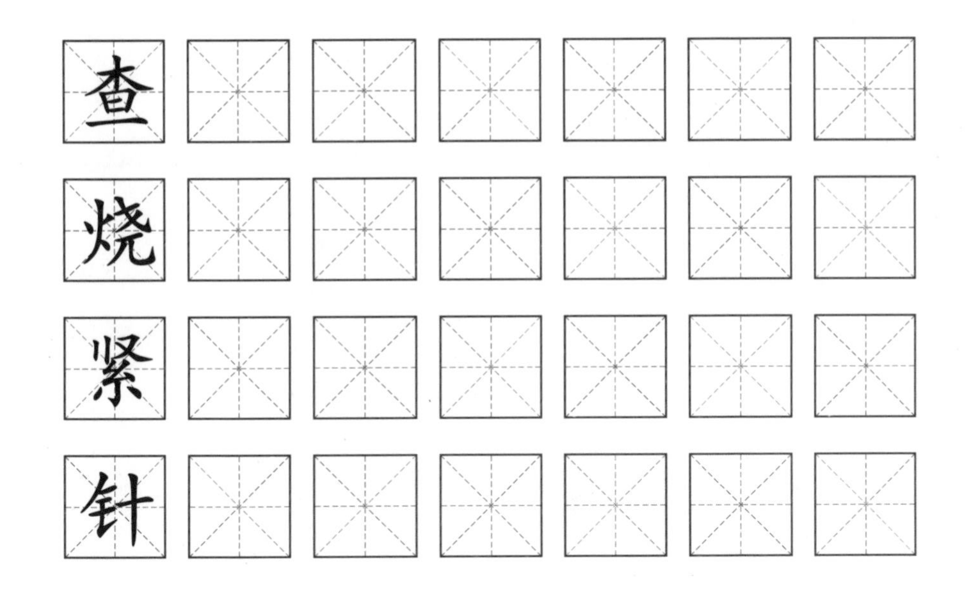


2.把下列字的拼音写完整：（liè pīn）

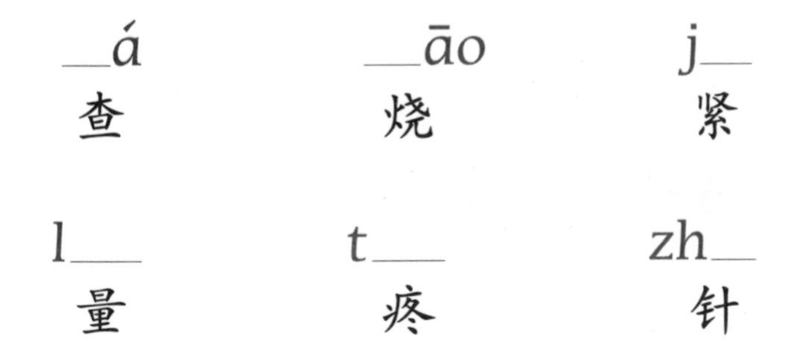

3.用下列(liè)部首写字，再组(zǔ)词语：

疒 ( )( ) ( )( ) ( )( )

火 ( )( ) ( )( ) ( )( )

4.连一连，写一写：

打　看　吃　张　开

药方　嘴　药　病　针

______ 张嘴 ______ ______ ______

5.用下列(liè)句(jù)中加点的词语造句(jù)：

(1)医生又为我做了全面检查。

________________________________

(2)医生说："没有什么问题，只是感冒了。"

________________________________

(3)听了医生的话，爸爸妈妈都放心了。

________________________________

6.阅读短文，判断句子，对的打“√”，错的打“×”：

华佗是中国古代著名的医生。有一次，他正在给人看病，一个人急急忙忙跑来，要华佗去给一个官员看病。

华佗到了官员家，先找到官员的儿子，打听了一下官员的病情，然后才去给官员看病。正因为这样，官员非常生气，连看都不看华佗一眼。华佗认真地给他看了病，心想：“他的病倒是容易治，只要吃点中药，把肚子里的脏东西吐出来就行了。”于是，华佗想了一个办法，写了一张纸条，交给官员。官员一看纸条上的字，气得发抖，连话都说不出来，最后把肚子里的东西都吐出来了。

过了一会儿，官员觉得好多了。他儿子看看纸条，原来上面写着："像你这样的人，得病早死最好！"华佗(huà tuó)用这个方法治好了官员的病。

(1)华佗(huà tuó)是中国当代著名的医生。( )

(2)华佗(huà tuó)一到官员家就去给他看病。( )

(3)华佗(huà tuó)在纸条上写了一个中药方。( )

(4)华佗(huà tuó)想了一个好办法治好了那个官员的病。( )

1.写一写：

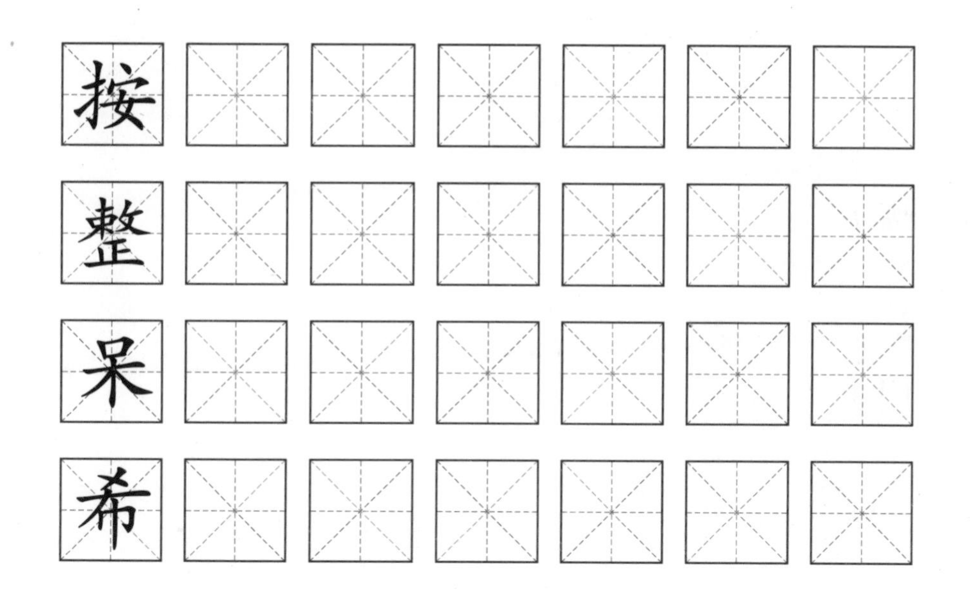


2.比一比，再组(zǔ)词语：

按(　　　　)　整(　　　　)
安(　　　　)　正(　　　　)
希(　　　　)　检(　　　　)
布(　　　　)　拾(　　　　)

3.连一连，写一写：

按　完　希　紧　检　放

望　心　期　整　张　查

______ ______ ______ ______ ______ 检查

4.照例(lì)子填(tián)空：

| 请 | 张开 | 嘴！ |
|---|---|---|
| | | |
| | | 门！ |
| | 关上 | |
| | | |

5.造句(jù)：

(1)按时____________________

(2)希望____________________

(3)只是____________________

6.画出下列(liè)句(jù)中的错别字，把正确(què)的字写在（　）里：

（1）护土小姐给我量了体温，把我代到医生那儿。

（　　）（　　）

（2）今天我感昌了，全身没有力汽。（　　）（　　）

（3）你身休不舒服，令天就别去上学了。

（　　）（　　）

1.读拼(pīn)音，写词语：

hùshi　　gàosu　　tǐwēn　　xīwàng

______　______　______　______

2.写出有下列(liè)部首的字：

3.读课文，填(tián)空：

(1)医生又___我___了全面______。

(2)爸爸对我说:“你身体不______，今天就___去上学了。”

(3)我想，___天___在家里，多没意思啊！

(4)我真______我的病快点好，______日回到学校去学习。

xuǎn tián
4.选词语填空：

然后　放心　以后　只有　只要　安心

(1)爸爸看见我回来，就________了。

(2)________天晴，我就去打球。

(3)医生为我开了药方，________说："你要按时吃药。"

(4)放假________，我们全家去中国。

(5)________张老师，才能教我们画画儿。

(6)爸爸说："你要________学习，不要老想着玩儿。"

biāo liè jù shùn xù
5.标出下列句子的先后顺序：

(　)小华想："难道我这么小就要死吗？"

(　)妈妈告诉他："你只是感冒了，很快就会好的。"

(　)小华把自己关在房间里，不愿意见任何人。

(　)小华听了妈妈的话后，高兴地笑了。

píngpíng
6.把课文读给爸爸、妈妈听，让他们来评评分：

| 朗读情况 | 家长签名 |
| --- | --- |
| 很好□　较好□　一般□ | |

# 埋在地里的金子

1 .写一写：

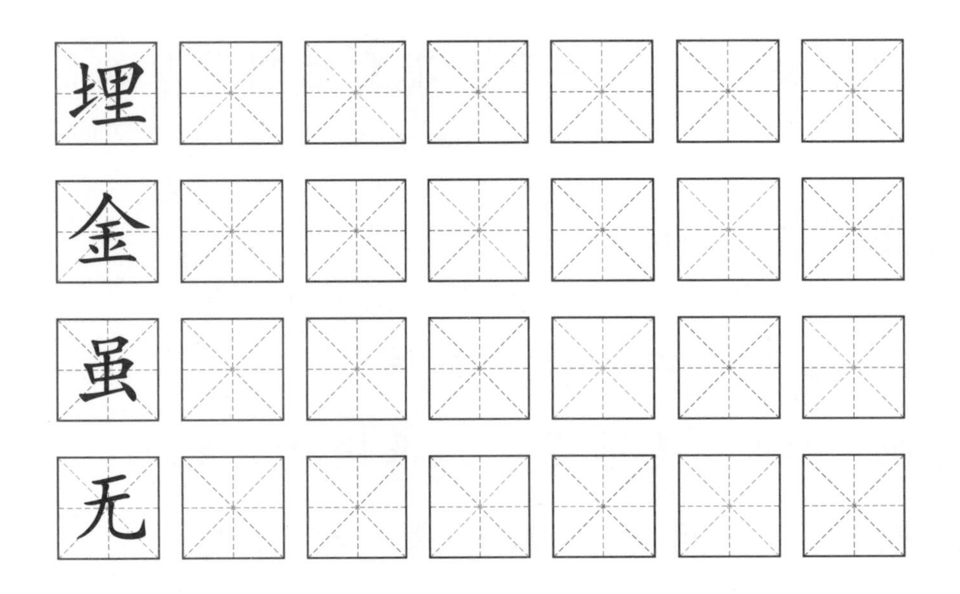


2 .比一比，再组(zǔ)词语：

里(　　　　)　　全(　　　　)
埋(　　　　)　　金(　　　　)

虽(　　　　)　　无(　　　　)
强(　　　　)　　天(　　　　)

3.读课文，填空（tián）：

(1)到了春天，天气＿＿＿＿＿了。老人对三个儿子说："我把三块地分给你们，每块地里都＿＿＿着金子。"

(2)秋天到了，这一年，三块地的＿＿＿量比往年高得多，他们兄弟三人打下的＿＿＿，两年都吃不完。

4.改病句（jù）：

(1)只要你们肯出力气，才会挖到金子。

＿＿＿＿＿＿＿＿＿＿＿＿＿＿＿＿＿＿＿＿

(2)只有勤劳，就能富起来。

＿＿＿＿＿＿＿＿＿＿＿＿＿＿＿＿＿＿＿＿

(3)他们个个都喜欢不干活儿。

＿＿＿＿＿＿＿＿＿＿＿＿＿＿＿＿＿＿＿＿

5.造句（jù）：

(1)认为＿＿＿＿＿＿＿＿＿＿＿＿＿＿＿＿＿＿

(2)面前＿＿＿＿＿＿＿＿＿＿＿＿＿＿＿＿＿＿

(3)虽然…但是…＿＿＿＿＿＿＿＿＿＿＿＿＿＿

6.朗（lǎng）读课文。

1.写一写：

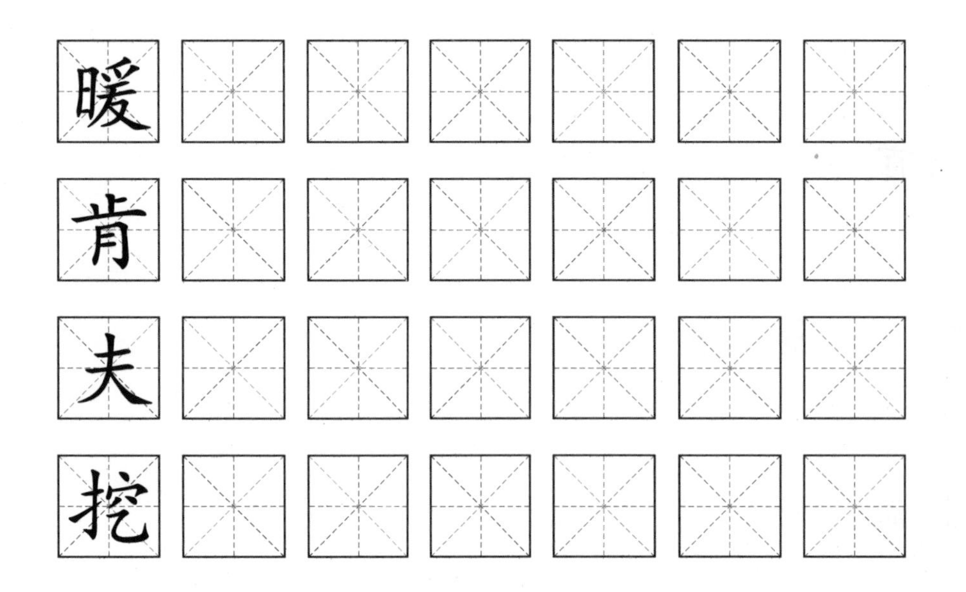


2.读拼(pīn)音，写词语：

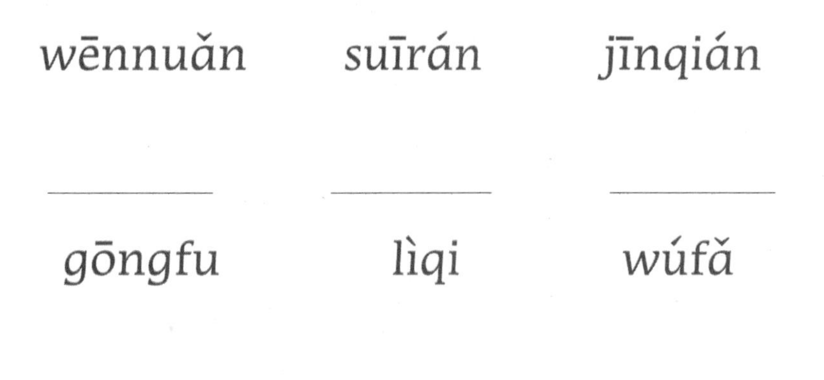

3．给下列(liè)字加上部首，再组(zǔ)词语：

例(lì)：古→故→故事

里→______→________　　虫→______→________

月→______→________　　人→______→________

4．组(zǔ)词语：

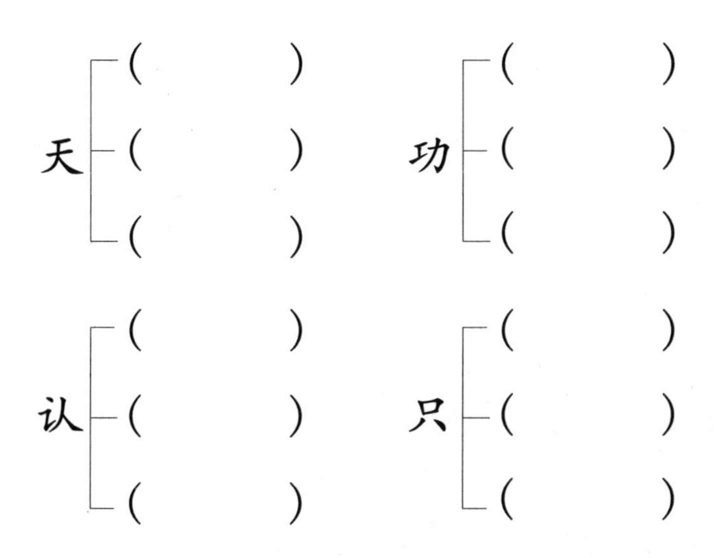


5．照例(lì)子填(tián)空：

| 只要 | 你们肯出力气， | 就 | 一定会挖到金子。 |
|---|---|---|---|
| | | | |
| | | | |
| | | | |

6.读一读，猜一猜（cāi cāi）：

这是一种感觉。我们可以在冬天的阳光下得到它；有时它在母亲的怀抱（huái bào）里，有时它在护士的笑容里；有时它在一声关心、问候中。有了这种感觉，我们的生活才是美好的、幸福的。

这种感觉是__________。

1 .写一写：

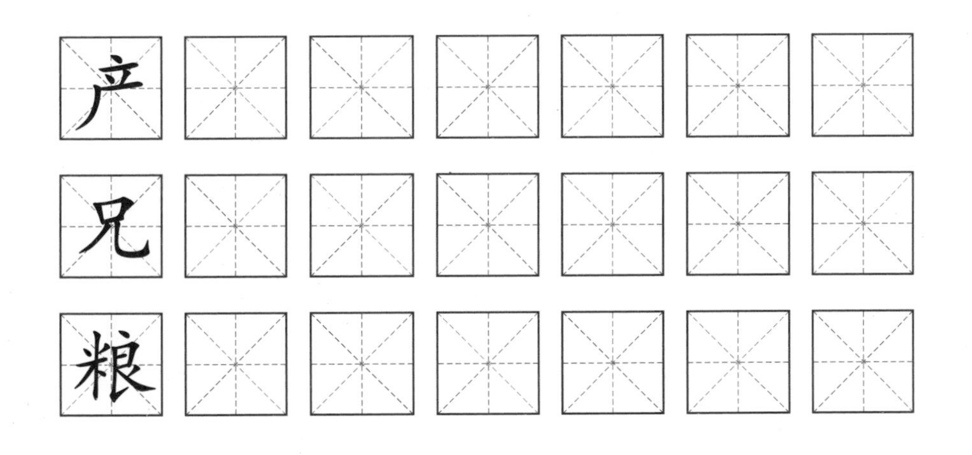


2 .把下列字的拼音写完整：(liè pīn)

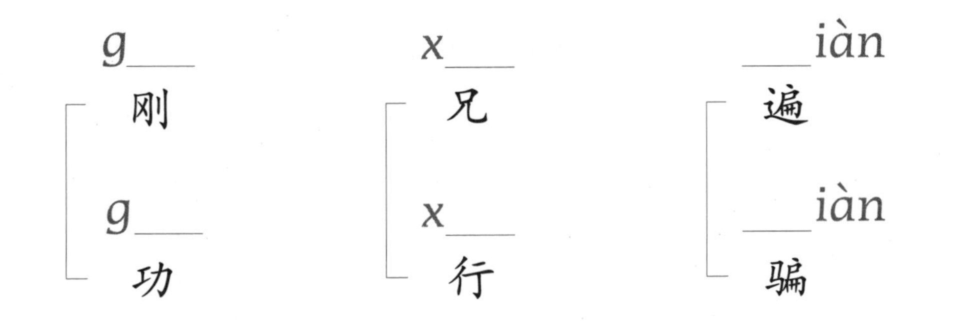

3.写一写，连一连：

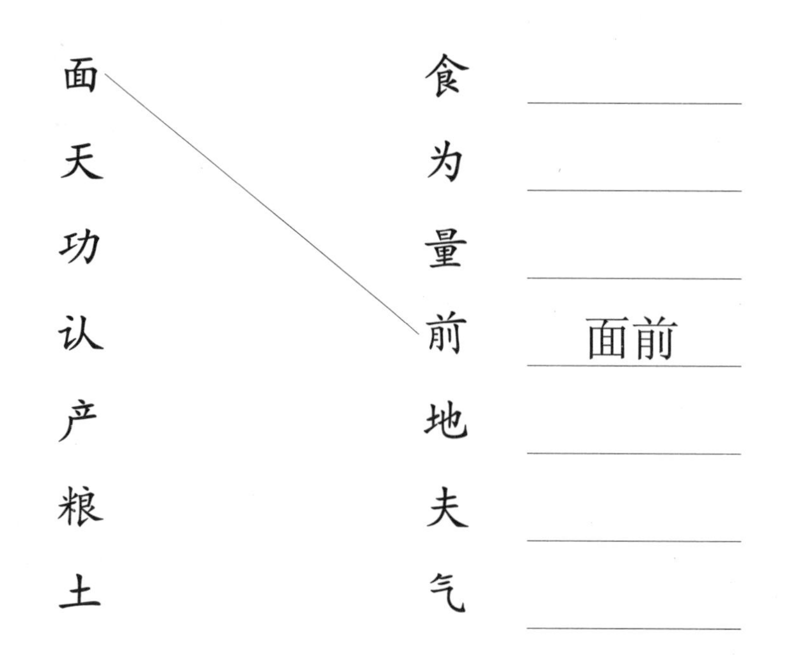


lì　tián

4.照例子填空：

| 只有 | 勤劳， | 才 | 能富起来。 |
|---|---|---|---|
| | | | |
| | | | |
| | | | |

yuè　　　pàn　jù

5.阅读课文，判断句子，对的打“√”，错的打“×”：

(1)老人的三个儿子都喜欢干活儿。(　　)

(2)老人在地里埋了很多金子。(　　)

（3）三个儿子在地里都挖到了金子。（　）

（4）老人告诉儿子们只有勤劳，才能富起来。（　）

6.把课文读给爸爸、妈妈听，让他们来评评（píngping）分：

| 朗读情况 | 家长签名 |
| --- | --- |
| 很好□ 较好□ 一般□ | |

1.写一写：

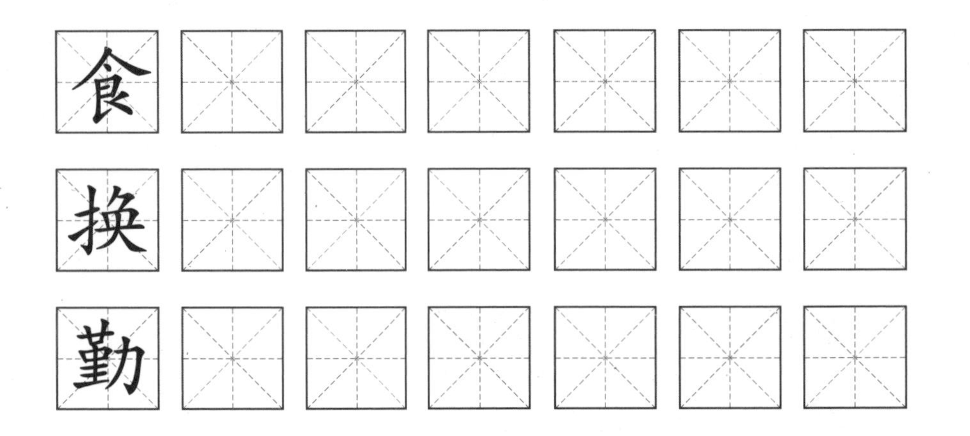


2.在下列（liè）加点字的正确（què）读音上打“√”：

(1)你们总得自己养活自己。

A. dě　　B. de　　C. děi

(2)三个儿子天天去挖地。

A. de　　B. dì　　C. dī

(3)只有勤劳，才能富起来。

A. qín　　B. qǐng　　C. qíng

(4)他们打下了很多粮食。

A. liáng　　B. niǎng　　C. liǎng

3. 选字填空（xuǎn tián）：

遍　夫　骗　天　无

(1)一＿＿＿，一个农民到田里去干活儿。

(2)孩子们都认为爸爸＿＿＿了他们。

(3)他们长大了，但＿＿＿法养活自己。

(4)他下了很大的功＿＿＿学习中文。

(5)三个儿子挖了很多＿＿＿，都没有挖到金子。

4. 读课文，填空（tián）：

(1)只要你们肯出力气，下功夫挖地，＿＿＿＿＿＿。

(2)他们虽然都长大了，＿＿＿＿＿＿＿。

(3)＿＿＿＿＿＿＿＿＿，才能富起来。

5.阅读短文，判断句子，对的打“√”，错的打“×”：

yuè duǎn pàn jù

古代有一个人，天天都想早点儿富起来。他想，要是有一块金子做本钱就好了。可是上哪儿去找这块金子呢？他整天都在想这件事。

一天，他突然想出了一个办法。“金店里不是有很多金子吗？我去那儿拿一块不就行了吗？”于是他急急忙忙穿好衣服，往一家金店跑去。在金店里，他看着黄黄的金子，越看越喜欢，越看越想要。他看得眼睛都发红了，伸手拿了一块金子，回头就跑。可是，他没跑几步就被人抓住了。

店主人问他：“大白天，你没看见店里有那么多人吗？”这个人回答：“一进金店，我眼睛里只有金子，根本看不到人。”

(1)这个人很勤劳，他得到了一块金子。（　）

(2)这个人想去金店拿金子。（　）

(3)因为天太黑，所以他进了金店看不见人。（　）

(4)这个人眼睛疼，一看见金子，眼睛就红了。

（　）

(5)这个人被店主人抓住了。（　）

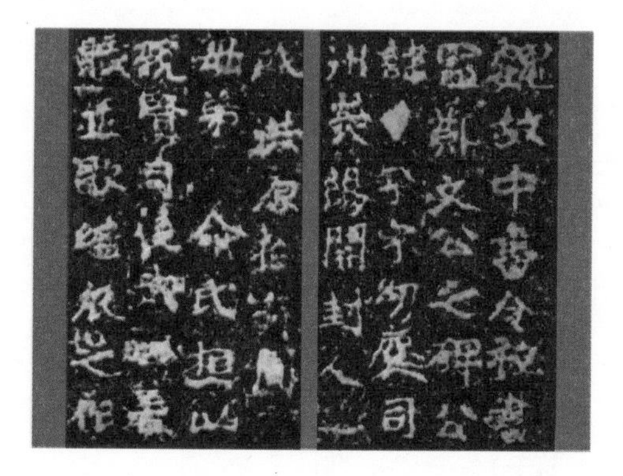

1.读拼(pīn)音，写词语：

xiōngdì　　rènwéi　　liángshi

________　　________　　________

chǎnliàng　　tǔdì

________　　________

2.比一比，再组(zǔ)词语：

狼(　　　　)　　产(　　　　)
粮(　　　　)　　严(　　　　)

夫(　　　　)　　遍(　　　　)
无(　　　　)　　骗(　　　　)

## 3.选词语填空(xuǎn tiǎn)：

（1）虽然　突然

我们正在上课，________，下起雨来。

他们________都长大了，但是个个都不爱干活儿。

（2）只有　只是　只要

你________有点儿感冒，不要紧。

我们________刻苦勤奋，才能学好中文。

________你给我打电话，我就告诉你。

（3）认为　因为

我________亮亮是个聪明好学的好孩子。

他________家里有事，所以今天请假。

## 4.造句(jù)：

（1）虽然…但是…________________________________

（2）只要…就…________________________________

（3）只有…才…________________________________

biāo liè jù shùn xù
5 .标出下列句子的先后顺序：

(　)他们始终没有挖到金子。

(　)他们一大早就去挖地了。

(　)他们挖了一天又一天。

(　)爸爸告诉他们地里埋着金子。

(　)他们认为爸爸骗了他们。

yuè duǎn pàn jù
6 .阅读短文，判断句子，对的打“√”，错的打“×”：

有一条小河，河上有一座独木桥。白羊住在河东，黑羊住在河西。

一天早上，白羊和黑羊同时出门，他们在独木桥上相遇了。白羊说：“你让我先过去！”黑羊说：“你让我先过去！”他们争来争去，谁都不让谁。结果，谁都没有过河，他们在独木桥上整整呆了一天。天黑了，他们不得不各自回家去了。

（1）河上有一座很大很宽的桥。（　）

（2）黑羊住在河东，他要去河西办事。（　）

（3）白羊和黑羊在桥上相遇，谁都不让谁。（　）

（4）白羊这样做是对的。（　）

# 成语故事

1.写一写：

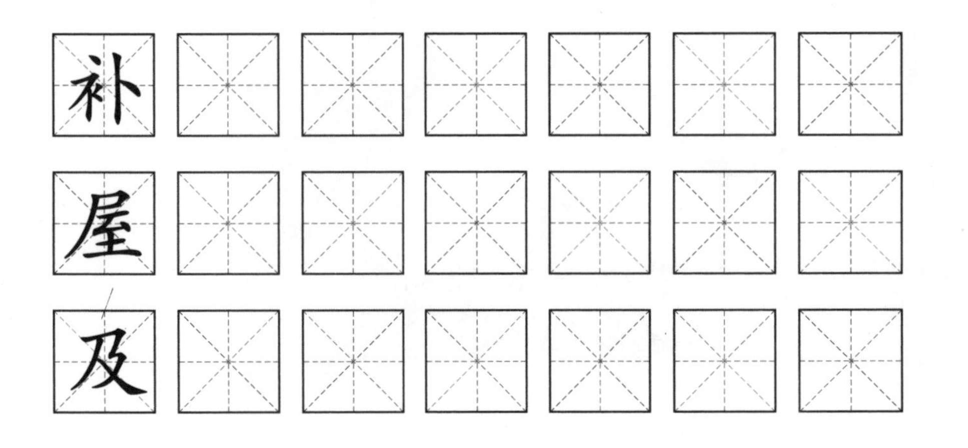


2.读拼（pīn）音，写汉字：

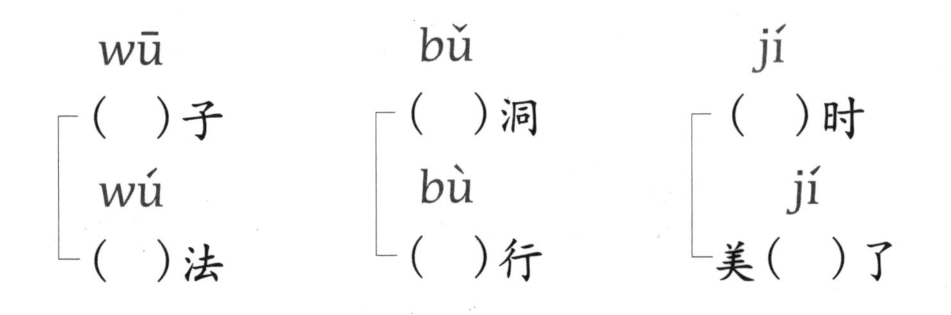

3.给下列字加上部首，再组词语：

例：司→词→词语

羊→___→______　卜→___→______

至→___→______　同→___→______

皮→___→______　占→___→______

4.读课文，填空：

(1)从前有一个人____了十几羊。一天早上，他______少了一只羊。这只羊到哪儿去了呢？

(2)____来关羊的____墙上有一个____洞，他没有______修补。

(3)他说："______羊已经被狼吃了，补洞还有什么用呢？"

5.阅读课文，判断句子，对的打"√"，错的打"×"：

(1)这个人听了邻居的话还是没有把洞修补好。(　)

(2)这个人的羊被狼吃光了。(　)

(3)这个人把破洞补好了，他的羊再也没有丢。(　)

(4)这个人听了邻居的话。(　)

6．阅读短文，判断句子，对的打“√”，错的打“×”：

古时候有个富人，他一生都非常小气。到了年老病重，快要死的时候，许多人都来看他。他伸出两个手指头，好像要说什么，可是怎么也说不出来。他的大儿子说：“爸爸，是不是还有两个亲人没有见到？”他摇了摇头。二儿子接着问：“爸爸，是不是有两笔钱放在哪儿，没告诉我们？”他又摇了摇头。这时，有人看见房间里点了两盏油灯，忽然明白过来，连忙过去吹灭了一盏灯。这个富人见了后，点点头，合上眼睛，这才断了气。

(1)这个富人伸出两个手指头，表示有两笔钱没有找到。(　)

(2)这个富人的儿子很了解父亲。(　)

(3)有人不了解富人的想法，把灯都吹灭了。(　)

(4)富人合上眼睛，断了气，说明他死了。(　)

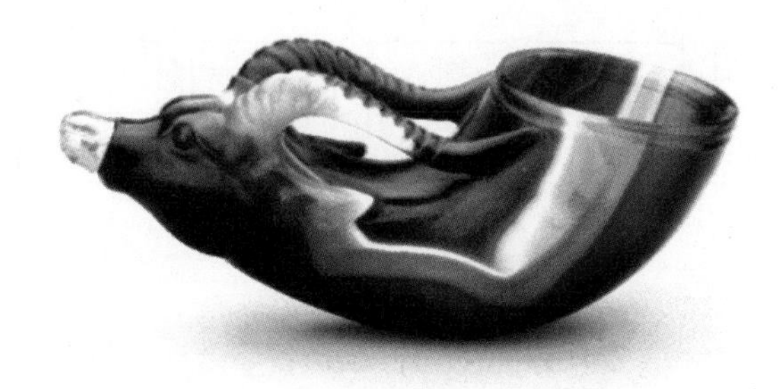

1 .写一写：

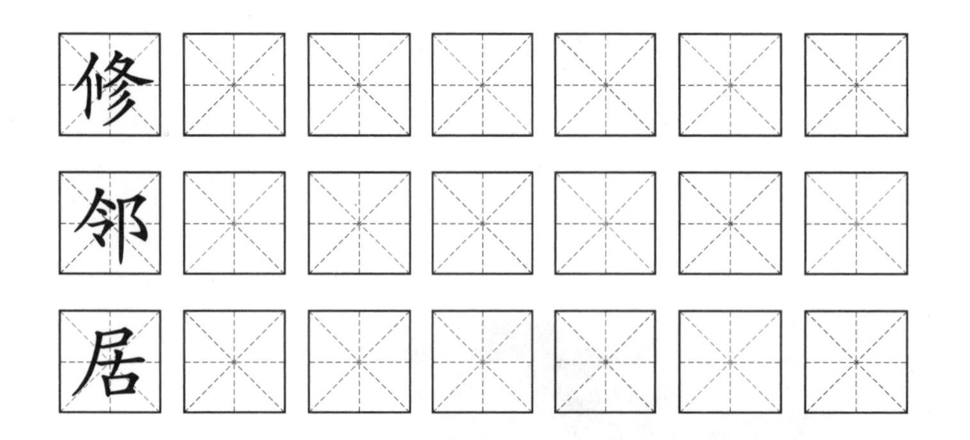


2 .读拼(pīn)音，写汉字：

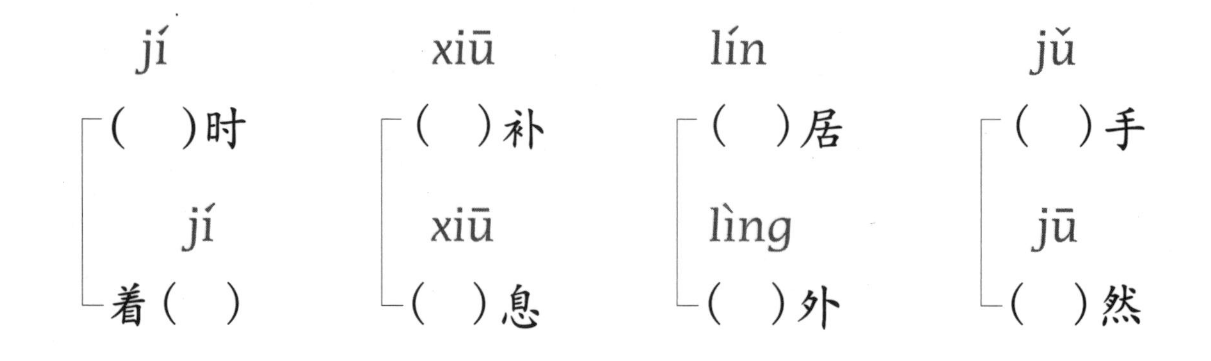

3.比一比，再组词语：

及(　　　)　令(　　　)
极(　　　)　邻(　　　)

居(　　　)　屋(　　　)
层(　　　)　房(　　　)

4.选词语填空：

及时　发明　按时　发现

(1)我_____作业本上有几道题做错了。

(2)爱迪生_____了电灯。

(3)你要_____吃药，多休息。

(4)墙上有一个破洞，他没有_____修补。

5.造句：

(1)及时______________________________

(2)劝______________________________

(3)赶快______________________________

6.朗读课文。

1.写一写：

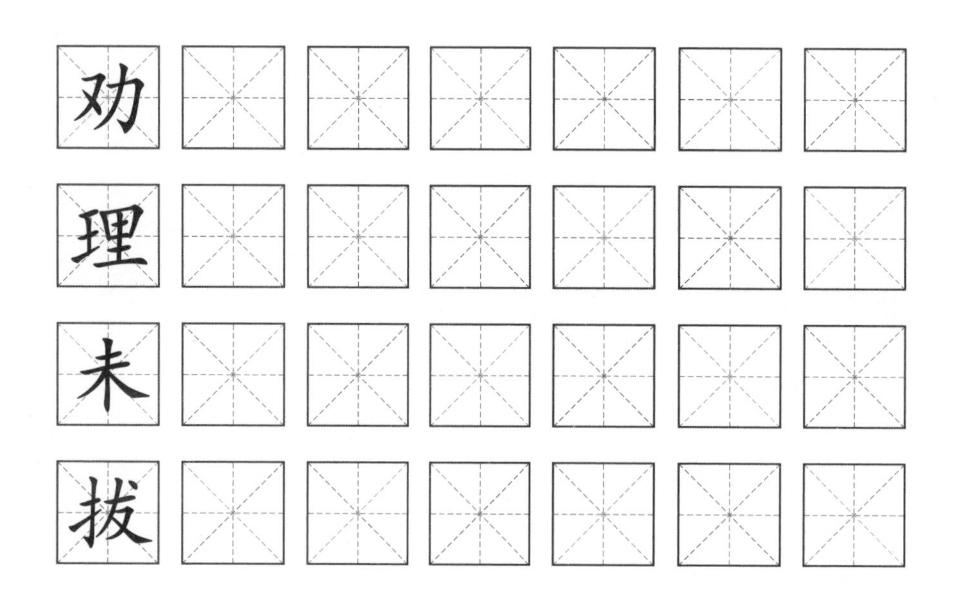


2.读拼(pīn)音，写词语：

fāxiàn　　dàoli　　quàngào

________　　________　　________

míngbai　　yīncǐ　　xiūbǔ

________　　________　　________

3．去掉下列字的部首，再组词语：

例：故→古→古代

劝→____→________　理→____→________

盼→____→________　苗→____→________

道→____→________

4．画出下列句中的错别字，把正确的字写在（　）里：

（1）原来关羊的屋子破了一个洞，他没有极时修补。

（　）（　）

（2）这时，他才明百邻居讲的话有道里。（　）（　）

（3）一天，他又来到田里，突然想出了一个办发。

（　）（　）

5．读句子，用加点的词语造句：

（1）这只羊到哪儿去了呢？原来关羊的屋子有一个破洞，他没有及时修补。

________________________________

（2）羊还是从那个洞钻出去跑掉的。

________________________________

（3）从此以后，他的羊再也没有丢。

6.阅读短文，回答问题：

yuè duǎn

古代有一个很有名的老师，许多人都来向他请教。一天，有两个人从很远的地方来，要做这个老师的学生。

老师讲课非常认真。一个学生专心地听课，还经常做笔记；另一个学生表面上也在认真听课，但思想很不集中，他看见两只小鸟从外面飞过，就想到外面去玩儿。老师讲完课，提了几个问题让他们回答。专心听讲的学生能完整地回答问题，老师非常高兴；可是，另一个学生却连一句话也说不出来。

（1）第一个学生为什么能回答老师的问题？

（2）第二个学生为什么不能回答老师的问题？

1 .写一写：

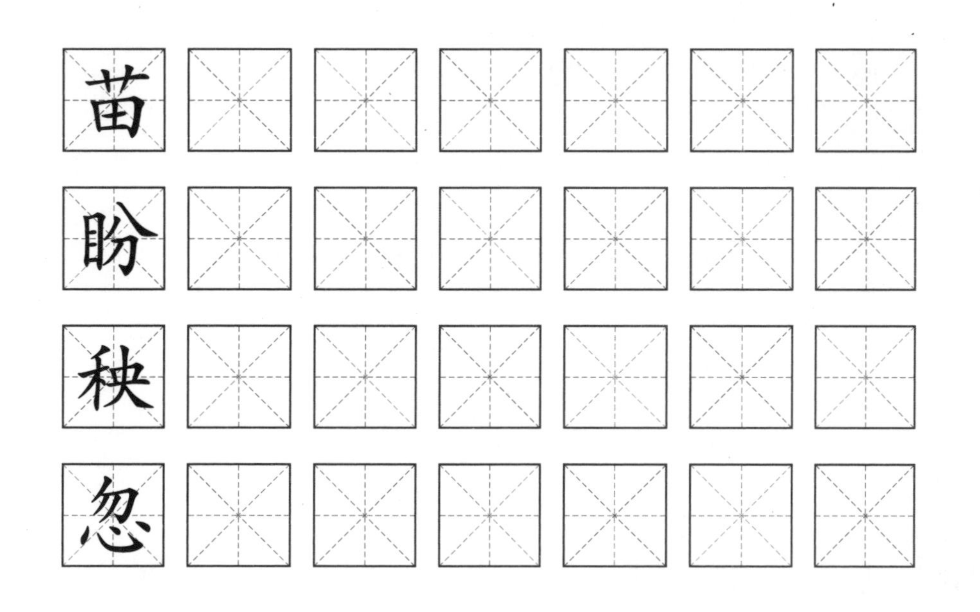


2 .把下列(liè)字的拼(pīn)音写完整：

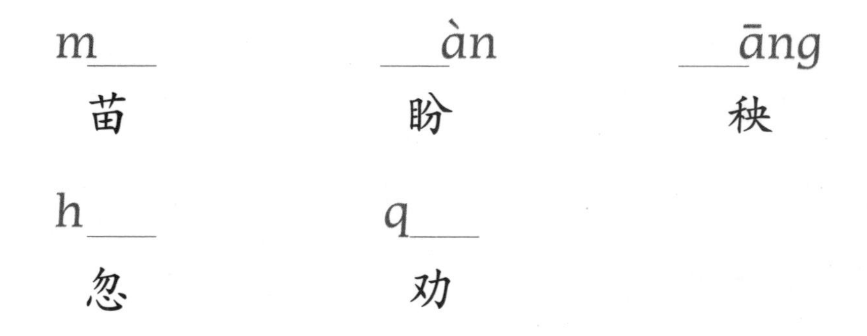

3.填(tián)空：

三____羊　　两____秧苗

四____田　　一____破洞

两____故事　　一____农民

4.连一连，写一写：

及　房　修　邻　盼　忽　反

屋　望　居　时　正　然　补

____　____　____　____　____　忽然　____

5.读课文，判(pàn)断(jù)句子，对的打“✓”，错的打“×”：

(1)那个农民日夜盼望自己种的秧苗快点儿长高。

(　　)

(2)他把秧苗都拔高了，所以秧苗长得快。(　　)

(3)那些拔高了的秧苗全死了。(　　)

(4)那个农民想的办法很好。(　　)

6.造句(jù)：

(1)忽然______________________________

(2)盼望______________________________

(3)因此______________________________

1.读拼音，写句子：

bá miáo zhù zhǎng bù shì hǎo bàn fǎ.

________________________________________。

2.比一比，再组词语：

劝(　　　)　　居(　　　)
功(　　　)　　局(　　　)

来(　　　)　　理(　　　)
未(　　　)　　埋(　　　)

3.选词语填空：

因此　因为　忽然　从此　然后

(1)爸爸______工作太忙，所以今天要晚点儿回来。

(2)我希望能用中文和爸爸、妈妈谈话，______，我要更努力地学中文。

（3）那个人很快把洞补好了，______以后，他的羊再也没有丢。

（4）我们先去买书，______再去吃午饭。

（5）他来到田里，______想出了一个办法。

4. 读句（jù）子，用加点的词语造句（jù）：

（1）补洞还有什么用呢？

______________________

（2）他心里很得意，唱着歌回家去了。

______________________

（3）这时，他才明白邻居讲的话有道理。

______________________

（4）他天天去田里看。

______________________

5.照例(lì)子填(tián)空：

| 拔高了 | 的 | 秧苗 | 都死了。 |
| --- | --- | --- | --- |
|  |  |  |  |
|  |  |  |  |
|  |  |  |  |

6.把课文读给爸爸、妈妈听，让他们来评评(píngping)分：

| 朗读情况 | 家长签名 |
| --- | --- |
| 很好□ 较好□ 一般□ |  |

# tán
# 日月潭

1.写一写：

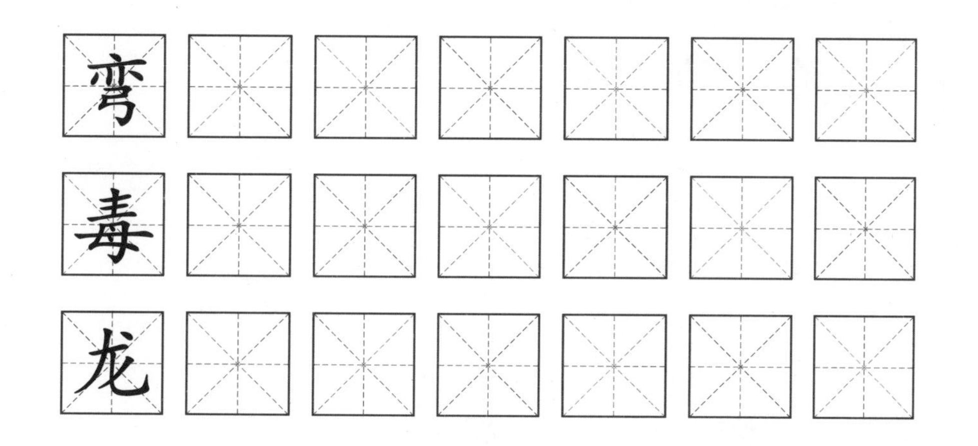


2.读拼(pīn)音，写词语：

tiānrán　　zhōuwéi

______　　______

kèfú　　dòngrén

______　　______

3.比一比，再组(zǔ)词语：

弯(　　　) 毒(　　　)
变(　　　) 每(　　　)

4.照例(lì)子写句(jù)子：

例(lì)：两　毒龙　有　潭(tán)　里　条

潭(tán)里有两条毒龙。

(1)是　中国　台湾(tái wān)　的　宝岛

________________________

(2)倒映　水　山林　中　在

________________________

(3)可怕　非常　毒龙　两条　那

________________________

5.造句(jù)：

(1)动人________________________

(2)决心________________________

(3)终于________________________

6.读一读，猜一猜（cāi cāi）：

有人说我住在天上，有人说我住在海里。但说我住在天上的人并没有见过我，说我住在海里的人也不认识我。人们只是在神话中听说过我，从传说中知道我。他们把我的身体画得很长很长，头上有一对角，身子像蛇（shé）一样，还有脚。他们认为我会飞，能走，还能游泳。他们还认为我能带来风雨，本领很大。中国人非常喜欢我，经常提起我。

你知道我是什么吗？

______________________

1.写一写：

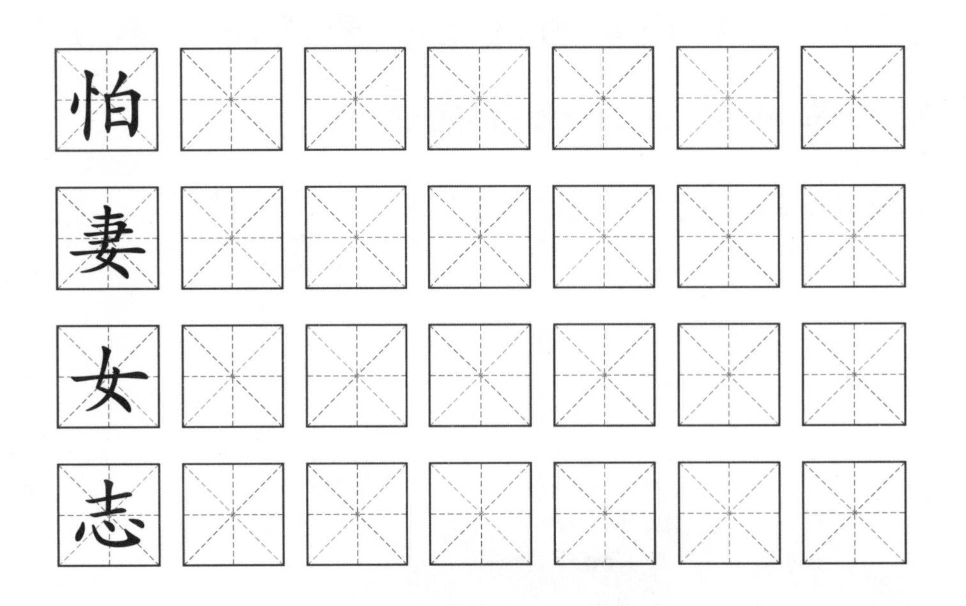


2.读拼(pīn)音，写汉字：

| | | |
|---|---|---|
| dào | zhì | qī |
| (　)映 | 立(　) | (　)子 |
| dào | zhì | qí |
| (　)处 | (　)造 | 国(　) |

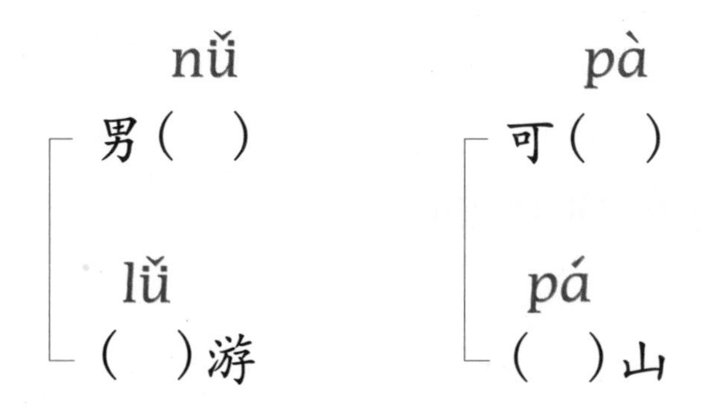


## 3．读课文，填(tián)空：

（1）美丽的台湾(tái wān)是＿＿＿＿＿＿＿＿＿＿＿＿。

（2）日月潭(tán)周围是＿＿＿＿＿＿＿＿的青山。

（3）＿＿＿＿＿的风景，＿＿＿＿＿的传说，日月潭(tán)真是人们喜爱的旅游胜地。

## 4．照例(lì)子填(tián)空：

| 日潭(tán) | 像 | 圆圆的太阳。 |
|---|---|---|
| | | |
| | | |
| | | |

5.照例（lì）子写一写：

例（lì）：圆→圆圆的　仔细→仔仔细细的

弯→______　认真→______

好→______　高兴→______

高→______　干净→______

6.读课文，判（pàn）断（jù）句子，对的打“✓”，错的打“×”：

（1）传说日月潭（tán）里有两条毒龙。（ ）

（2）大尖（jiān）和水社（shè）取出了两件宝物，也没有制服毒龙。（ ）

（3）毒龙经常出来害人，非常可怕。（ ）

（4）他们为了不让毒龙再来害人，天天守在日月潭（tán）边。（ ）

1 .写一写：

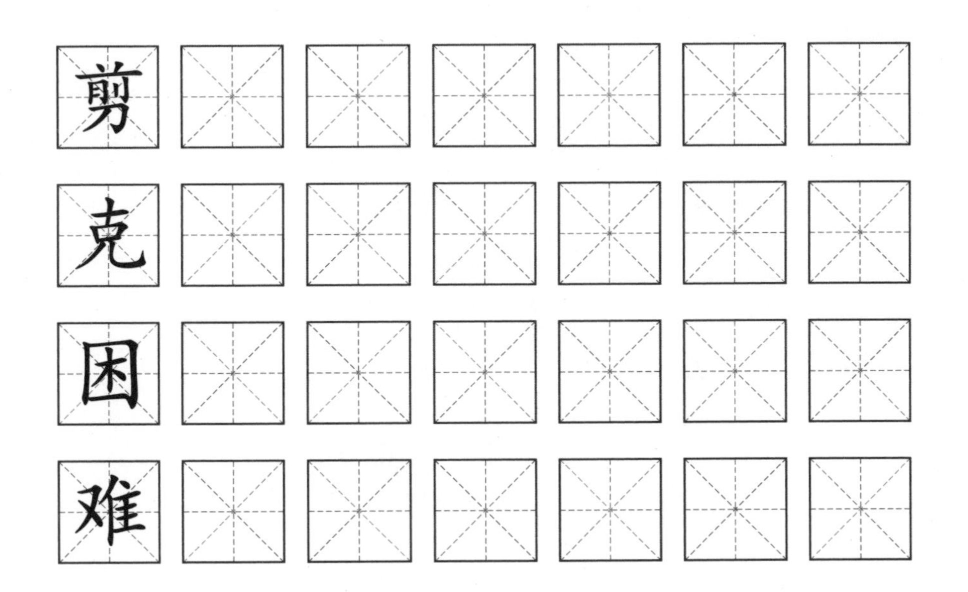


2 .把下列(liè)字的拼(pīn)音写完整：

| j__ | k__ | k__ | n__ |
|---|---|---|---|
| 剪 | 克 | 困 | 难 |

3.选词语填空：

决心　为了　听说　决定　听讲

(1)上课时要认真________。

(2)爸爸________今年带我去北京。

(3)我________明天有一场足球比赛。

(4)我________认真学习中文。

(5)________学好中文，我每天都看中文书。

4.照例子填空：

| 日月潭 | 是 | 人们喜爱 | 的 | 旅游胜地。 |
|---|---|---|---|---|
| 北京 | | | | |
| | | 爷爷生活 | | |
| | | | | 中文画报。 |

5.阅读短文，判断句子，对的打“✓”，错的打“×”：

传说古代有一位画家在墙上画了四条龙，每条龙都好像是真的一样，可是他都没有画上眼睛。人们看了以后，觉得很奇怪，问他为什么不画上眼睛？画家很自信地说："要是我画上眼睛，龙就会马上飞起来。"人们都不相信，要他把龙的眼睛画上去。他说："好，我只画一条。"画家拿起笔给一条龙画上了眼睛。刚一画完，果真雷电大作，这条有眼睛的龙从墙上飞起来，向天上飞去了。

(1)那个画家画的龙都没有眼睛。(　)

(2)画上眼睛的那条龙还留在墙上。(　)

(3)没有画眼睛的龙都飞走了。(　)

1.写一写：

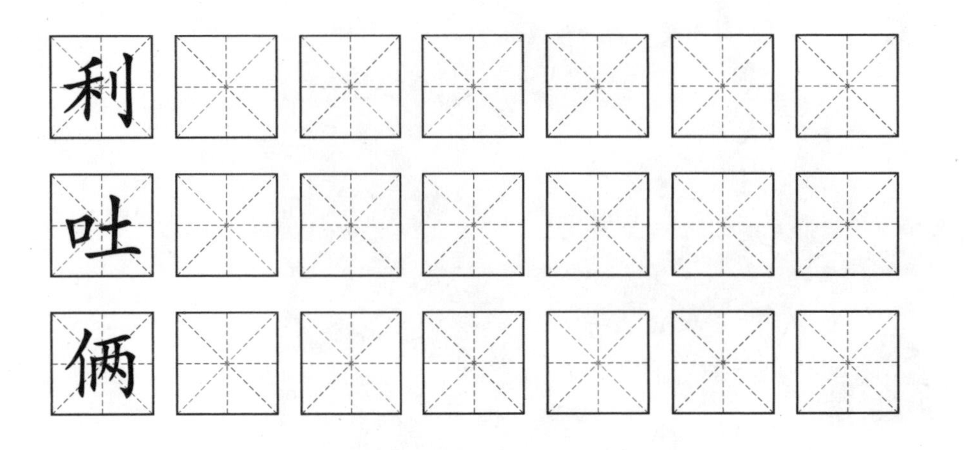


2.比一比，再组（zǔ）词语：

两(　　　　)　　利(　　　　)
俩(　　　　)　　梨(　　　　)

土(　　　　)
吐(　　　　)

3.连一连，写一写：

| | | |
|---|---|---|
| 漂漂亮亮的 | 检查 | ________ |
| 干干净净的 | 老师 | ________ |
| 仔仔细细地 | 唱 | 高高兴兴地唱 |
| 高高兴兴地 | 街道 | ________ |
| 认认真真的 | 房间 | ________ |
| 热热闹闹的 | 衣服 | ________ |

4.标(biāo)出下列(liè)句(jù)子的先后顺序(shùnxù)：

（  ）他们日夜挖山，终于挖出了金斧(fǔ)子。

（  ）他们听说用金斧(fǔ)子和金剪刀可以制服毒龙。

（  ）他们用这两件宝物制服了毒龙。

（  ）他们俩变成了两座山。

（  ）为了不让毒龙再来害人，他们天天守在日月潭(tán)边，一直守了好多年。

5.造句(jù)：

（1）克服 ________________________________

（2）听说 ________________________________

（3）可怕______________________________

（4）胜利______________________________

6.把课文讲给爸爸、妈妈听，让他们来评评(píngping)分：

| 讲述情况 | 家长签名 |
| --- | --- |
| 很好□ 较好□ 一般□ | |

1.在下列(liè)加点字的正确(què)读音上面打"✓":

(1)痛苦

A.tōng B.tóng C.tǒng D.tòng

(2)决心

A.juē B.jué C.juě D.juè

(3)困难

A.kūn B.kún C.kǔn D.kùn

(4)夫妻俩

A.liǎng B.liáng C.liǎ D.liàng

2.比一比，再组(zǔ)词语：

前(　　　)　难(　　　)　兄(　　　)
剪(　　　)　准(　　　)　克(　　　)

困（　　　）
团（　　　）

3.写出有下列部首的字：
liè（列）

心 ____ ____ ____

忄 ____ ____ ____

日 ____ ____ ____

又 ____ ____ ____

4.读课文，填空：
tián（填）

（1）有一对青年夫妻，他们________，立志______。

（2）他们日夜挖山，历尽________，克服______，终于挖出了金斧子和金剪刀。
fǔ（斧）

（3）为了不让毒龙再来害人，他们______守在日月潭边，一直守了好多年。
tán（潭）

5.读课文，在正确(què)的句(jù)子后面打“✓”：

(1)那儿是旅游胜地人们喜爱的。(　)
(2)人们喜爱那儿是旅游胜地。(　)
(3)那儿是人们喜爱的旅游胜地。(　)

(1)毒龙把太阳和月亮吐了出来。(　)
(2)毒龙吐出来太阳和月亮。(　)
(3)太阳和月亮毒龙把吐出来。(　)

(1)他们守在那儿天天。(　)
(2)他们天天守在那儿。(　)
(3)天天他们在那儿守。(　)

6.改病句(jù)：

(1)这里有动人的传说一个。

______________________________

(2)他们制服了毒龙用这两件宝物。

______________________________

# 古诗二首

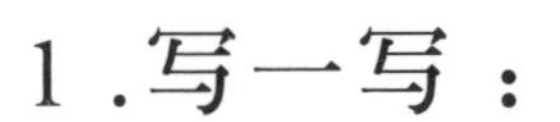

1.写一写：

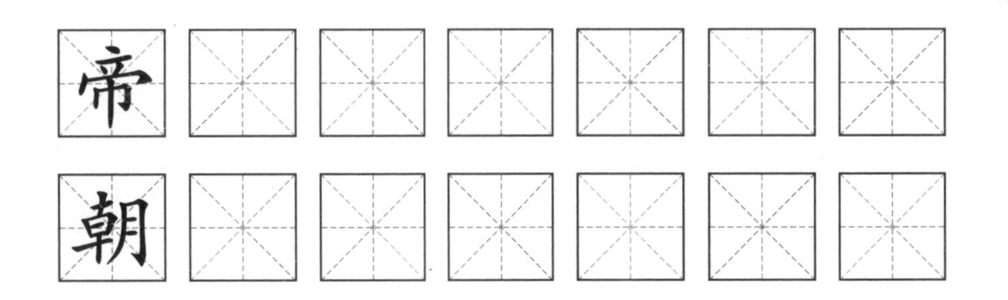


2.把下列(liè)字的拼(pīn)音写完整：:

| d__ | d__ | d__ | zh__ | zh__ |
| --- | --- | --- | --- | --- |
| 帝 | 第 | 地 | 朝 | 找 |
| d__ | d__ | d__ | zh__ | zh__ |
| 弟 | 低 | 底 | 照 | 着(急) |

3．读课文，填(tián)空：

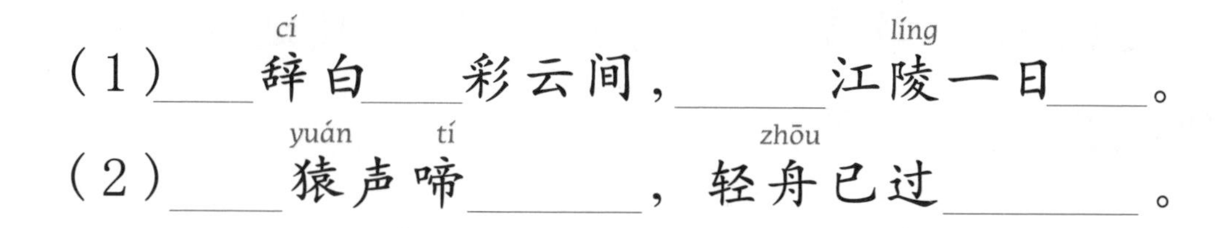

（1）____辞(cí)白____彩云间，______江陵(líng)一日____。

（2）____猿(yuán)声啼(tí)______，轻舟(zhōu)已过______。

4．阅(yuè)读短(duán)文，把故事讲给爸爸、妈妈听，让他们来评(píng)评(píng)分：

有一次，老李请客人吃饭。他一共请了四位客人，可是只来了三位，还有一位，怎么等都不来。老李着急地说：“你们看，该来的还没来！”老李刚说完，有一个客人不高兴了，说：“该来的还没来，那么，我是不该来的了。对不起，我先走了。”客人说完就生气地走了。老李见这个客人走了，又着急地说：“你们看，不该走的又走了。”又有一位客人听了，站起来对老李说：“不该走的走了，那就是说，该走的还没走。好，我是该走的，我现在就走。”说完，这位客人也生气地走了。老李见第二位客人走了，感到很奇怪，就问第三位客人：“他们怎么都走了？”第三位客人说：“这是因为你的话说得不对。”

老李说:“我说的不是他们啊!”这位客人说:“你说的既然不是他们,那肯定是我了。好,我这就走。”说完,他也生气地走了。

| 讲述情况 | 家长签名 |
| --- | --- |
| 很好□ 较好□ 一般□ | |

5.朗(lǎng)读课文。

1.写一写：

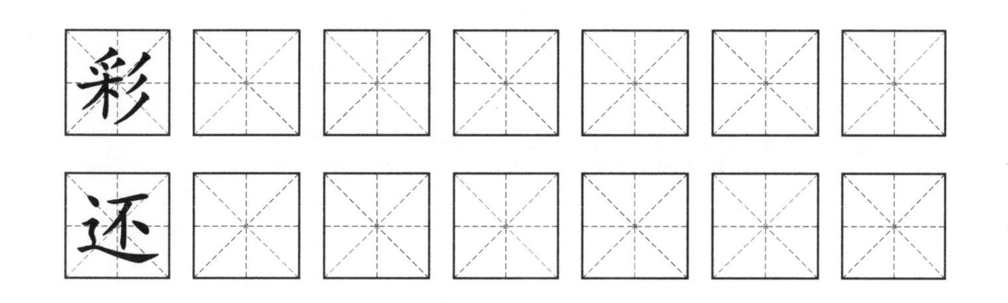


2.连一连，读一读：

zhāo　　cǎi　　yí　　àn　　dì

岸　　帝　　朝　　疑　　彩

3.抄写词语(chāo)：

彩云＿＿＿＿　　还书＿＿＿＿

彩色＿＿＿＿　　还笔＿＿＿＿

彩旗＿＿＿＿＿　　还东西＿＿＿＿＿

xuǎn tián
4.选字填空：

采　　辛　　菜　　彩　　帝

(1)朝辞（cí）白______彩云间。

(2)今天有客人来，妈妈做了很多______。

(3)公园里，鲜花满园，许多蜜蜂（mì fēng）在______蜜（mì）。

(4)今天我画了一张画儿，爸爸说这张画儿色______很好。

(5)爸爸每天工作，早出晚归，非常______苦。

5.把课文读给爸爸、妈妈听，让他们来评评（píngpíng）分：

| 朗读情况 | 家长签名 |
|---|---|
| 很好□　较好□　一般□ | |

1.写一写：

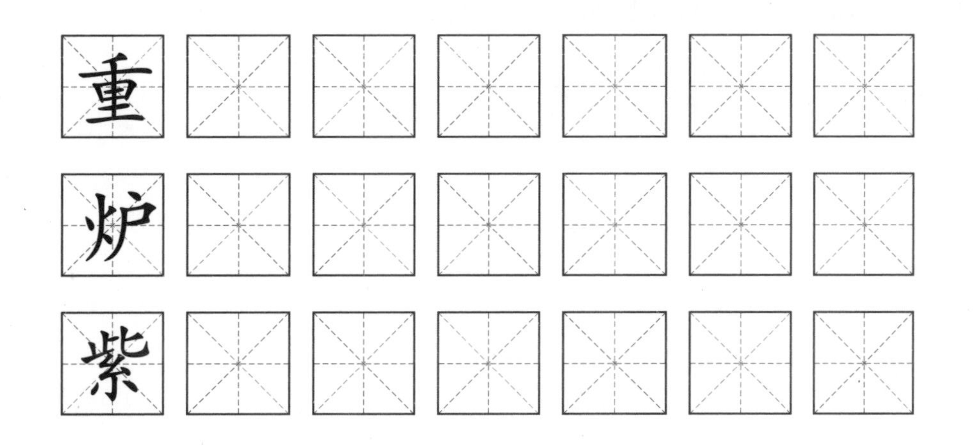


2.比一比，再组（zǔ）词语：

炉（　　　　）　紫（　　　　）
烧（　　　　）　繁（　　　　）

烟（　　　　）
因（　　　　）

3.去掉下列(liè)字的部(bù)首，再组(zǔ)词语：

例(lì)：江→工→工人

住→____→______　　紫→____→______

彩→____→______　　城→____→______

香→____→______

4.读课文，填(tián)空：

日照香____生____烟，____看瀑(pù)布____前川(chuān)。

____直下三千____，____是____河落九天。

5.猜(cāi)一猜(cāi)：

千里相连。（猜(cāi)一字）

______________

6.朗(lǎng)读课文。

1.写一写：

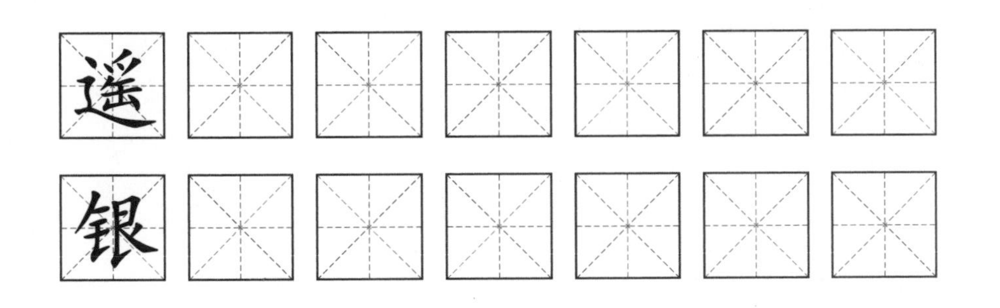


2.在下列(liè)加点字的正确(què)读音上打“√”：

(1)路遥知马力

A. yāo　B. yáo　C. yǎo　D. yào

(2)疑是银河落九天

A. yín　B. yíng　C. yǐng　D. yǐn

(3)万紫千红

A. zhǐ　B. zhí　C. zǐ　D. cǐ

(4)轻舟(zhōu)已过万重山

A. zhóng　B. zhòng　C. chōng　D. chóng

3.选(xuǎn)字填(tián)空：

摇　繁　很　遥　银

(1)在那____远的地方，有我可爱的家乡。

(2)云云学习____认真，我要向她学习。

(3)老师听了我的回答，____了____头。

(4)爸爸不在家，他去____行了。

(5)唐(táng)人街很____华。

4.读一读，猜(cāi)一猜(cāi)：

有一个地方，一些人进进出出。进来的人中，有的人什么都没有买，把钱放在这儿就走了；有的人什么也没卖，可是他拿走了许多钱。

这是什么地方？

____________

5.把课文背给爸爸、妈妈听，让他们来评评分（pingping）：

| 背诵情况 | 家长签名 |
| --- | --- |
| 很好□ 较好□ 一般□ | |

1.在下列(liè)加点字的正确(què)读音上打"√":

(1)千里江陵一日**还**。

A. hái　B. hǎi　C. huán　D. huǎn

(2)**朝**辞(cí)白帝彩云间。

A. zhāo　B. chāo　C. cháo　D. zháo

(3)日照香**炉**生紫烟。

A. lǘ　B. luó　C. lú　D. lóu

(4)疑是**银**河落九天。

A. yín　B. yíng　C. yǐn　D. yǐng

2.比一比,再组(zǔ)词语:

炉(　　　)　彩(　　　)
房(　　　)　菜(　　　)

银(　　　)　遥(　　　)
很(　　　)　摇(　　　)

3.把下列(liè)诗写完整：

（1）日照香炉生紫烟，

遥看瀑(pù)布挂前川(chuān)。

________________________，

________________________。

（2）________________________，

疑是地上霜(shuāng)。

举头望明月，

________________________。

（3）锄(chú)禾日当午，

________________________。

谁知盘中餐(cān)，

粒粒皆(jiē)辛苦。

4.写出下列(liè)词语的反义词：

例(lì)：大——小

早____ 远____

外____ 有____

还(huán)____ 重(zhòng)____

5.写出有下列部首的字：

禾 ______ ______ ______

钅 ______ ______ ______

氵 ______ ______ ______

火 ______ ______ ______

辶 ______ ______ ______

6.阅读短文，判断句子，对的打“√”，错的打“×”：

有一天，李白跑到河边去玩儿，在河边看到一位老奶奶正在磨一根铁棒。李白不明白老奶奶为什么要这样做，于是问道：“奶奶，您磨这根铁棒做什么呀？”老奶奶连头也不抬，只管一个劲儿地磨，边磨边说：“我要把这根铁棒磨成一根针。”李白一听就说：“这不可能！那要磨多久啊？”老奶奶抬起头来说：“孩子，这的确不容易。可是，只要不停地磨下去，时间长了，就一定能把铁棒磨成针。”

mó

(1)李白去河边玩儿，看到一位老奶奶正在磨刀。

( )

mó zhēn

(2)老奶奶说她要磨一根针。 ( )

mó zhēn mó

(3)一听老奶奶说要磨针，李白赶快去帮她磨。 ( )

mó

(4)老奶奶说：“只要不停地磨下去，时间久了，就

tiě bàng mó zhēn

一定能把铁棒磨成针。” ( )

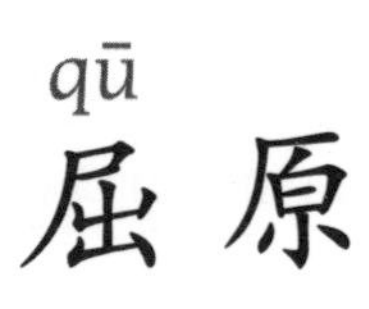

# qū<br>屈原

1.写一写：

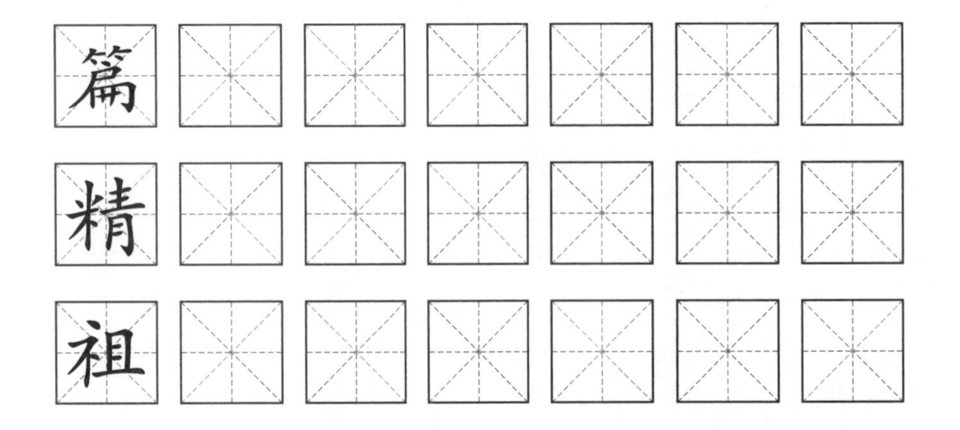


2.读拼（pīn）音，写汉字：

rén 诗（ ）　　jīng（ ）神　　fán（ ）荣

fù（ ）强　　zǔ（ ）国

3. 比一比，再组词语（zǔ）：

篇（　　）　精（　　）　祖（　　）
骗（　　）　情（　　）　且（　　）
遍（　　）　清（　　）

4. 选词语填空（xuǎn tián）：

热爱　喜爱

（1）屈原＿＿＿＿自己的祖国，希望自己的祖国繁荣富强。

（2）这是我最＿＿＿＿的一套邮票。

5. 读句子（jù），用下列句中加点的词语造句（liè jù，jù）：

（1）他的诗篇还深受人们的喜爱。（加点：喜爱）

＿＿＿＿＿＿＿＿＿＿＿＿＿＿＿＿＿＿＿＿

（2）屈（qū）原热爱自己的祖国，希望自己的祖国繁荣富强。（加点：希望）

＿＿＿＿＿＿＿＿＿＿＿＿＿＿＿＿＿＿＿＿

6.读课文，填空：

(1)屈原是中国的一位＿＿＿＿＿＿。

(2)他的＿＿＿＿还深受人们＿＿＿＿＿＿。

(3)屈原一生写了许多＿＿＿＿的诗篇。

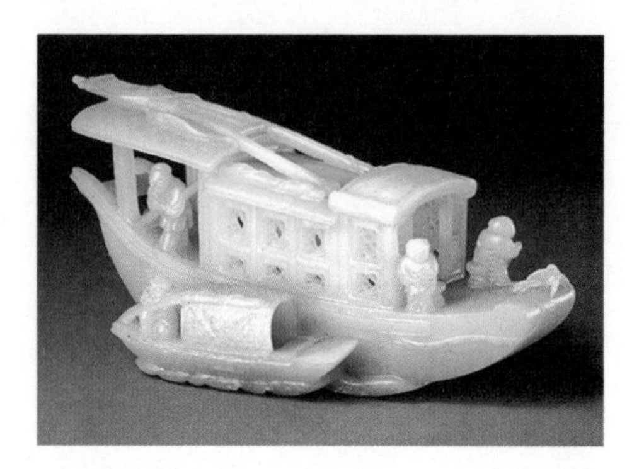

1.写一写：

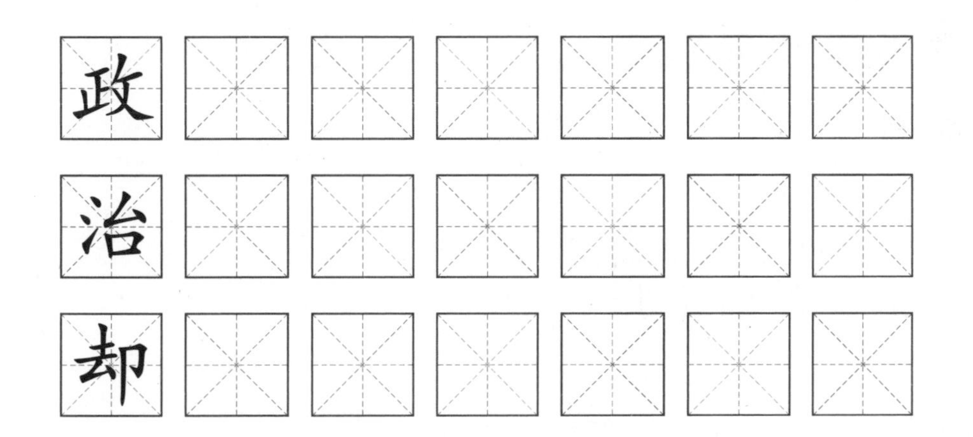


2.读拼(pīn)音，写词语：

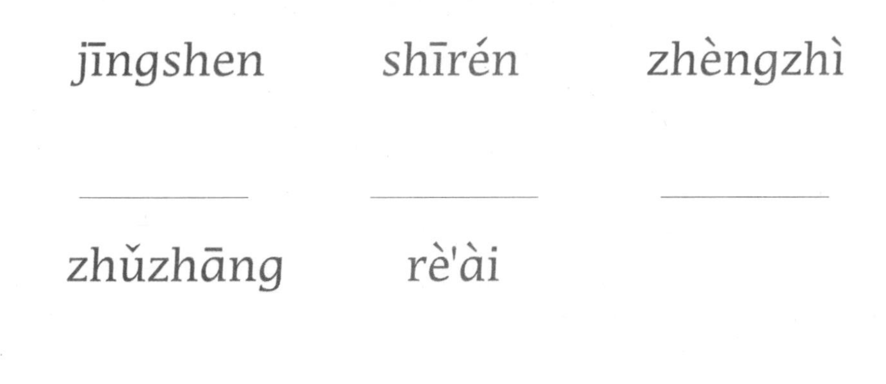

3.照例(lì)子连一连，写一写：

⺮　米　礻　氵　文

正　台　扁　青　且

____　____　____　精　____

4.连一连，写一写：

| | | |
|---|---|---|
| 深受 | 祖国 | |
| 爱国 | 喜爱 | |
| 提出 | 反对 | |
| 热爱 | 诗人 | |
| 受到 | 主张 | 提出主张 |

5.照例(lì)子填(tián)空：

| 为了 | 纪念屈(qū)原， | 人们 | 就在每年的农历五月初五赛龙舟(zhōu)。 |
|---|---|---|---|
| | | | |
| | | | |
| | | | |

6.朗(lǎng)读课文。

1.写一写：

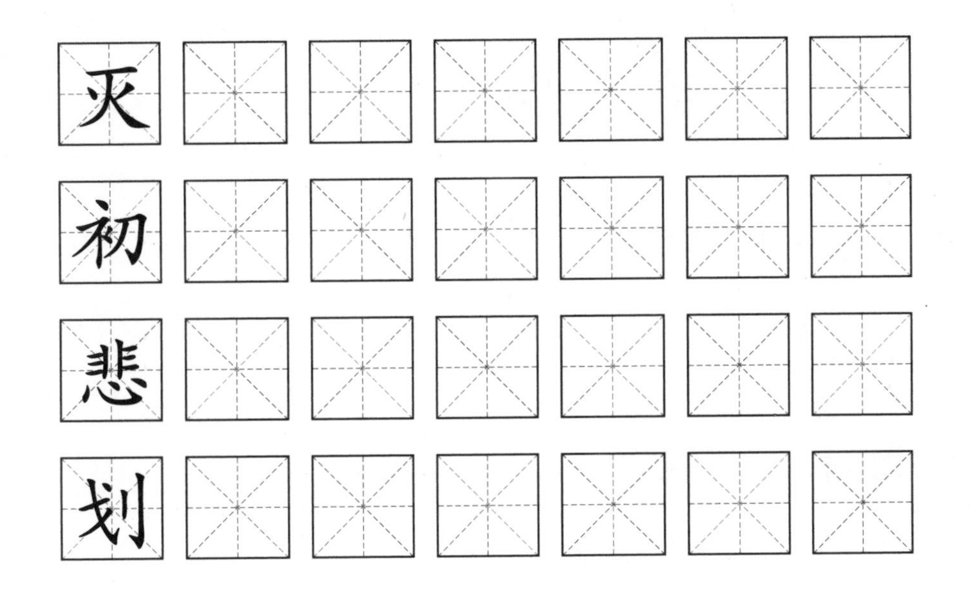


2.在下列（liè）加点字的正确读音上打"√"：

例（lì）：精神

A.jīng　B.jǐng　C.qīn　D.qín

（1）灭亡

A.mèi　B.miè　C.méi　D.mì

(2)农历五月初五

A. cū　B. zū　C. chū　D. zhū

(3)悲痛

A. fēi　B. biē　C. bēi　D. pēi

(4)划船

A. huà　B. huá　C. huǎ　D. huā

(5)祖国

A. zǔ　B. zhǔ　C. zú　D. cú

3. 读课文，选择(xuǎn zé)正确的句(jù)子填(tián)空：

(1)屈(qū)原是 ________________。

A. 一位爱国诗人中国的

B. 一位中国的爱国的诗人

C. 中国的一位诗人爱国

D. 中国的一位爱国诗人

(2)人们悲痛万分，________________。

A. 争着都划船去寻找他

B. 争着划船都去寻找他

C. 都划船争着去寻找他

D.都争着划船去寻找他

(3)他________________。

A.向楚王提出自己的政治主张多次

B.向楚王多次提出自己的政治主张

C.多次向楚王提出自己的政治主张

D.多次提出自己的政治主张向楚王

4.照例(lì)子填(tián)空:

| 屈(qū)原 | 是 | 中国 | 的 | 一位爱国诗人。 |
| --- | --- | --- | --- | --- |
|  |  |  |  |  |
|  |  |  |  |  |
|  |  |  |  |  |

5.造句(jù):

(1)为了________________

(2)反对________________

(3)仍然________________

píngpíng

6 .把课文读给爸爸、妈妈听，让他们来评评分：

| 朗读情况 | 家长签名 |
| --- | --- |
| 很好□ 较好□ 一般□ | |

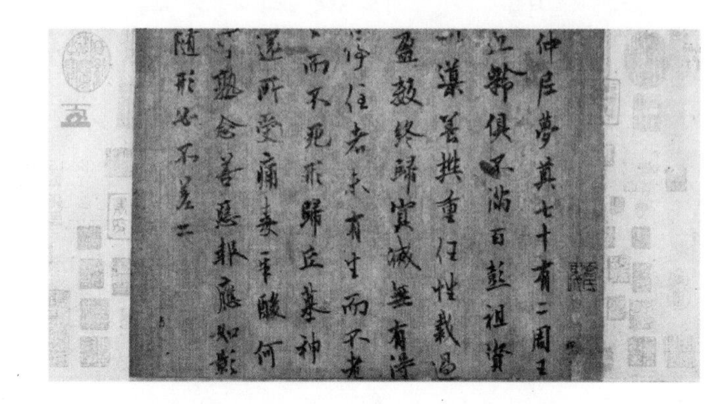

1.写一写：

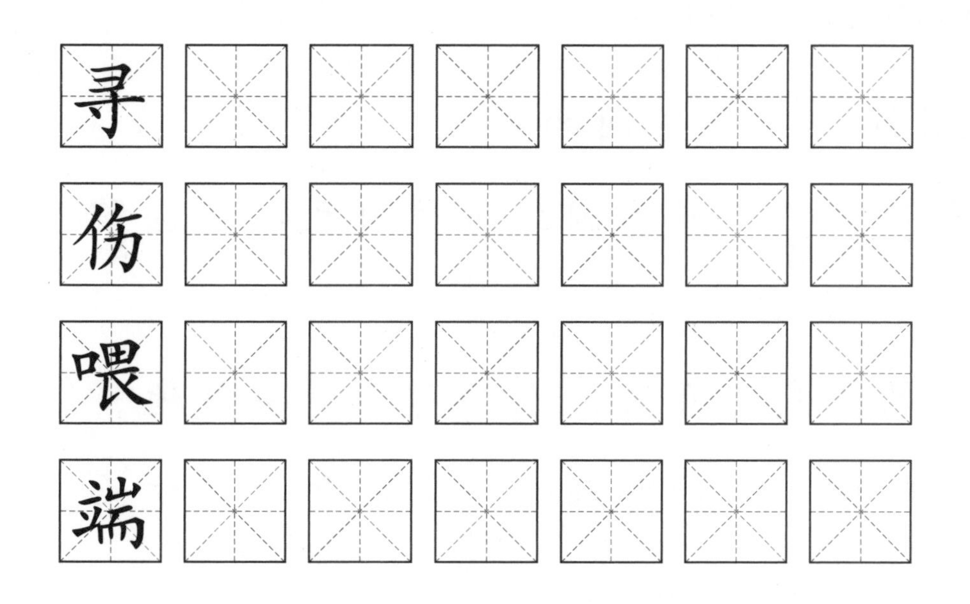


2.把下列(liè)字的拼(pīn)音写完整：

| x__ | __āng | w__ |
| --- | --- | --- |
| 寻 | 伤 | 喂 |
| d__ | h__ | |
| 端 | 划 | |

3.连一连，写一写：

精　热　反　寻　悲　政　主　祖

国　找　张　神　痛　爱　治　对

______　______　______　______　______　______　政治　______

4.读课文，判(pàn)断句(jù)子，对的打“✓”，错的打“×”：

(1)屈(qū)原是2300多年前楚国的一位科学家。(　)

(2)屈(qū)原非常热爱自己的祖国，希望自己的祖国繁荣富强。(　)

(3)屈(qū)原投(tóu)江的消息传开后，人们都没有去找他。(　)

(4)为了纪念屈(qū)原，人们就在每年的农历八月十五这一天赛龙舟(zhōu)，包粽(zòng)子。(　)

5.读一读，猜(cāi)一猜(cāi)：

这一天是农历五月初五。许多城市、乡村的江边都非常热闹，岸上站满了来看赛龙舟(zhōu)的人。几十条船停在江边，每条船上坐着数量相等的人。他们正准备进行划船比赛。只听一声令下，这些船一齐(qí)出发，像箭(jiàn)一样地向前冲去。每条船上的人都齐(qí)心合力地划船，船飞快地前进。两岸的人都为这些人“加油”。

每年的这一天，中国各地的城乡都举行这样的龙舟(zhōu)比赛，传说是为了纪念古代伟大的爱国诗人屈(qū)原。这一天，人们还吃粽(zòng)子。粽(zòng)子常常包成三角形，有甜的，也有咸(xián)的。

你知道这一天是中国的什么节日吗？

________________________________________

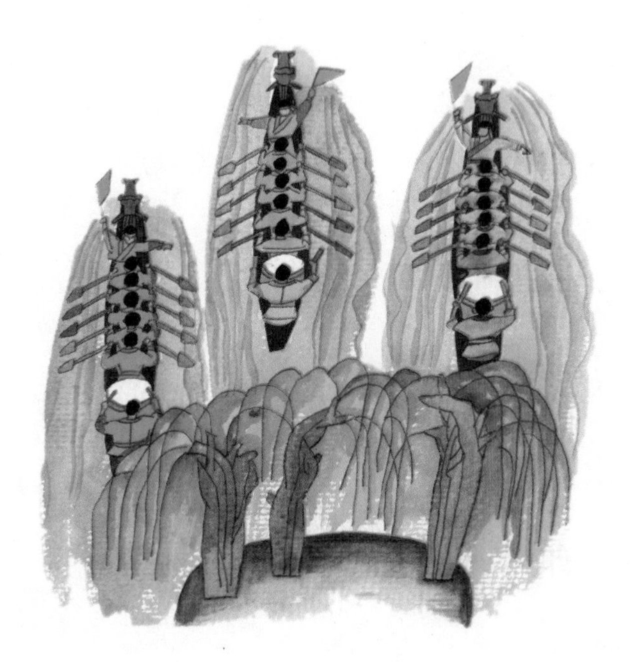

zǔ
1.比一比，再组词语：

正(　　　　)　　青(　　　　)　　初(　　　　)
政(　　　　)　　精(　　　　)　　祖(　　　　)

xuǎn tián
2.选词语填空：

(1)主张　主意

qū
屈原多次向楚王提出自己的政治________。

cáo
曹冲想出了一个好________，称出了大象的重量。

(2)完全　全部

准备工作________完成了。

你的想法________错了。

3.读课文，完成句(jù)子：

(1)直到今天，屈(qū)原的诗篇还______________。

(2)屈(qū)原多次向楚王提出自己的政治主张，可是______________。

(3)屈(qū)原写了许多______________诗篇。

(4)屈(qū)原投(tóu)江的消息传开后，人们______________。

(5)为了______________屈(qū)原，人们就在每年的农历五月初五这一天赛龙舟(zhōu)，包粽(zòng)子。这一天，就是中国的__________。

4.连一连，写一写：

| | | |
|---|---|---|
| 热爱 | 船 | ______ |
| 提出 | 诗 | ______ |
| 写 | 小猫 | ______ |
| 划 | 祖国 | ______ |
| 喂 | 问题 | 提出问题 |

5.造句（jù）：

(1)寻找________________

(2)后来________________

(3)担心________________

6.阅读（yuè）短（duǎn）文，判（pàn）断句（jù）子，对的打“✓”，错的打“×”：

古时候，有个人坐着马车到很远的地方去办事。马车上放着一个很大的包。马跑得非常快。

路上，一位老人看见他们，问：“先生，您这么着急，要去哪儿？”“我要去楚国。”坐车的人大声回答。老人一听，笑着说：“您走错了路。楚国在南边，您怎么往北走呢？”“没关系，我的马跑得非常快。”“您的马很好，可您走的路不对。”“没问题，我的马车是新的，车上还放着很多钱，我不怕。”“您的钱很多，可您走的方向不对，您还是赶快往回走吧。”坐车的人不高兴了，说：“我已经走了十多天了，现在怎么能往回走呢？”说完，他赶着马车走得更快了。

（1）有个人要到北边的楚国去。（　）

（2）那个坐车的人很有钱，但他的马跑得不快。（　）

（3）老人告诉他："楚国在南边，你的方向错了。"

（　）

（4）那个坐车的人听了老人的劝告，往南边走了。

（　）

（5）那个坐车的人越走离楚国越近。（　）

**图书在版编目(CIP)数据**

中文　练习册(A)·第六册/中国暨南大学华文学院编.
—广州：暨南大学出版社，2001.7
ISBN 7—81029—701—5

I. 中…
II. 中…
III.对外汉语教学
IV.H195

**监　制：中华人民共和国国务院侨务办公室**
（中国·北京）
**监制人：刘泽彭**
电话/传真：0086-10-68320122

编写：暨南大学华文学院
（中国·广州）
电话/传真：0086-20-87206866

出版/发行：暨南大学出版社
（中国·广州）
电话/传真：0086-20-85221583

印制：北京新华印刷厂
1998年7月第1版　　2004年7月第7次印刷
850×1168　1/16